Hors-piste

Évelyne Brisou-Pellen

DE L'AUTRE CÔTÉ DU CIEL

Illustrations
de Michel Politzer

GALLIMARD JEUNESSE

Pour Étienne et Odile

Les rennes disparurent,
L'homme regarda le monde
Et le vit différent.
C'était il y a douze mille ans.
Il arrêta son pas
Et perdit le paradis.

1/ Entre les dents du cerf

Moï s'arrêta.

– Regarde, dit-il en levant la main, nous arrivons à la limite du territoire du Volcan.

Entre les derniers pins, ils apercevaient une savane sèche et désertique, ne ressemblant en rien à ce qu'ils connaissaient. La neige continuait de tomber. Le jeune homme glissa son pouce sous la corde de l'arc qu'il portait en bandoulière et regarda autour de lui avec méfiance. Jamais ils n'avaient quitté leur territoire, jamais ils n'avaient quitté leur clan. Et aujourd'hui ils n'étaient plus que deux, dans l'immensité du monde.

« Dix jours tu marcheras. » C'était la Parole sacrée.

– Écoute, chuchota subitement Reuben.

Un souffle ample et lointain, celui des cornes d'appel. Le clan les saluait, leur souhaitait bonne chance. Comment savait-il qu'ils étaient arrivés aux frontières du territoire ?

– Ils savent tout, observa Reuben. Ils n'ont pas peur des cris du dieu. Ils ont pris la corne d'appel.

– Ils ont peur, rectifia Moï, mais nous sommes à leurs yeux plus importants que la peur. Ils ne peuvent nous laisser quitter les terres du Centre du Monde sans nous saluer. Que le dieu épargne notre peuple.

– Que le dieu protège notre peuple.

Moï sentit son cœur se serrer. Tout, dans ce voyage, s'annonçait mal. Il n'avait pas trouvé l'andouiller de renne, or la Parole sacrée disait :

« Quand tu auras trouvé le bois par le renne laissé,
Alors tu partiras,
Du lever au coucher du soleil
Dix jours tu marcheras. »

Il ne l'avait pas parce que, depuis longtemps, les rennes avaient fui. Depuis le temps où il n'atteignait encore que l'épaule de son père. Les lunes et les lunes s'étaient succédé, les cheveux de son père étaient devenus blancs, et les rennes n'étaient pas revenus. Il ne pouvait plus attendre. Il avait ramassé un morceau d'andouiller sec, mais personne ne s'y trompait : « par le renne laissé » signifiait que le bois devait être fraîchement tombé, sinon il perdait toute magie.

Une explosion troua le silence. Reuben se jeta aussitôt à genoux et posa son front sur le sol glacé, au milieu des flocons qui dansaient. Une nouvelle fois, la grande bouche du dieu hurlait et crachait le feu. Moï s'inclina à son tour. Les cornes d'appel s'étaient tues. Là-bas, sur le ventre du volcan, Smaël, le grand sorcier, devait lui aussi supplier le dieu de retenir le feu bouillonnant. Pourvu qu'il n'arrive rien au clan !

La voix multiple du dieu, ses grognements et ses sifflements s'apaisèrent peu à peu. Reuben releva la tête et son regard croisa celui de Moï. Rarement le dieu avait crié aussi fort.

– Ils sont peut-être plusieurs, souffla alors Moï.

– Plusieurs quoi ?

– Plusieurs dieux. Puisque le dieu-qui-parle-par-le-volcan vit sous la terre, qui nous envoie la neige ?

Reuben le regarda d'un air interloqué.

– L'un souffle le feu, l'autre la glace, reprit Moï, peut-être luttent-ils l'un contre l'autre ? Et, dans ce cas, ce n'est pas contre nous que le dieu d'en bas est fâché. Nous ne sommes pour rien dans cette guerre.

– Le dieu d'en bas est le seul dieu, protesta Reuben, les ancêtres n'ont jamais parlé d'un autre dieu.

– Mais s'il y avait malgré tout aussi un dieu de la neige…

Reuben fronça les sourcils. Moï avait un don pour semer le doute.

– Le ciel appartient au dieu d'en bas, grogna-t-il enfin, et il le visite chaque jour en y lançant le soleil, tu le sais aussi bien que moi. Et c'est lui qui nous envoie ces flocons. Il n'y a qu'UN dieu.

– Dans ce cas, soupira Moï en contemplant avec méfiance le gris cotonneux du ciel, il n'éteindra pas le volcan, à moins qu'il ne cherche à lutter contre lui-même.

Reuben se pencha vers le sol et, du bout de son poignard en corne d'aurochs, dessina des signes protecteurs. Puis il porta sa main à sa poitrine et chuchota :

– Que le dieu épargne notre peuple.

Il tendit sa main pour recueillir un flocon et le posa sur le bout de sa langue. Il ne croyait pas à un dieu de la neige mais, s'il existait, il fallait qu'il soit leur ami. Il fallait mettre toutes les chances de leur côté.

Il y eut un grondement et, durant un instant, ils crurent que c'était encore la voix du volcan.

– Les chevaux ! cria Moï.

D'un bond, ils se précipitèrent vers l'arbre le plus proche. Leurs pieds agiles trouvèrent d'instinct des appuis sur l'écorce rugueuse et, en un instant, ils étaient réfugiés sur les premières branches.

Le roulement ébranlait le sol, s'amplifiant, résonnant jusque dans leur poitrine, les empêchant de reprendre leur souffle. Enfin, entre les troncs dénudés, avalant les flocons, débouchèrent les premiers chevaux, les chefs qui menaient la harde. Derrière eux, dans un déferlement effroyable, un fleuve blanc et gris, écumant. Des centaines de bêtes, écrasant tout sur leur passage.

La tornade s'éloigna, laissant derrière elle un nuage de poussière qui retomba lentement sur les buissons ravagés.

– Eh bien, s'exclama Moï, on l'a échappé belle !

– Il y avait de la terreur dans leurs yeux, souffla Reuben en redescendant avec prudence. Ils ont dû se prendre une boule de feu.

Il était encore sous le coup de l'émotion. Il se détesta pour son souffle court, son cœur qui battait la chamade. Il n'était qu'un affreux trouillard. Il lança un coup d'œil inquisiteur au fils du chef. Moï ne lui ressemblait en rien. Il était plus grand, large d'épaules, et son épaisse chevelure attachée sur la nuque par un tendon de cerf lui donnait l'air d'un vrai chasseur. La blondeur de ses cheveux aurait pu le faire paraître un peu fragile, cependant Moï n'était pas fragile, non. Du moins pas physiquement. Pour le reste…

Pour *le reste*, Reuben était là. Reuben, son teint mat et ses cheveux crépus dressés sur son crâne comme un rempart. Reuben et sa frousse. Mais lui, le fils du sorcier, possédait quelque chose que personne d'autre ne pouvait avoir. Donc, il veillerait et protégerait. Pour cette raison, c'était lui le dépositaire du feu. Il porta sa main à sa ceinture.

– Le feu ! cria-t-il en regardant autour de lui avec un peu d'affolement. La lanière s'est cassée, j'ai perdu le feu !

Il se précipita vers le petit sac de cuir qui gisait sur le flanc et demeura pétrifié. Le sac était béant. Le pot qu'il contenait, creusé par ses soins dans la lave grise du volcan, avait roulé sur le sol et libéré les précieuses braises. Il n'en restait rien, tout avait été piétiné.

– Ce n'est pas grave, dit Moï d'un ton rassurant, nous referons le feu. Cela nous prendra un peu plus de temps, voilà tout.

– Le temps…, bougonna Reuben.

Moï se détourna vivement. Il ne
voulait pas en entendre plus. Bien
sûr, qu'il le savait : la perte du feu
était un nouveau signe néfaste et, du temps, ils n'en
auraient guère. Dès qu'ils auraient passé les limites
du territoire, ils devraient marcher du lever au coucher du soleil et ne disposeraient d'un moment
qu'entre crépuscule et nuit noire.

Il ne fallait pas y penser. Tout était déjà assez alar-
mant, et le découragement était le pire briseur de
talons. Une nouvelle fois, il songea à son frère Cob.
C'était l'aîné, c'était lui qui aurait dû partir. Et
c'était lui qui voulait partir ! Seulement, il ne pouvait pas, parce qu'il était né à la pleine lune. Cob,
malgré toutes ses qualités, ne pourrait jamais devenir le chef du clan, il ne ferait donc pas le voyage
des chefs.

Moï contempla la savane jaune qui s'étirait
devant eux, puis attacha la lanière de cuir au
rhombe*. Leur sort se nouait en ce matin froid.

Reuben glissa deux doigts dans sa ceinture en cuir
de sanglier pour en sortir la voix du dieu. Ce n'était
qu'une copie de la voix qui leur venait de la nuit des

---

* Lame de bois étroite et ovale, que l'on fait tourner au bout d'une
lanière pour produire un son. Son utilisation, encore aujourd'hui
dans certaines peuplades, est liée à la magie.

temps, mais elle restait tout de même l'objet le plus sacré qui appartînt à leur peuple. Taillée dans une phalange de renne, elle était un équilibre de beauté et de précision. La forme de la fente, l'emplacement de l'unique trou demeuraient un secret connu de la seule lignée des sorciers. Reuben la porta à sa bouche et souffla. Une note vibrante. La voix du dieu.

Aussitôt, Moï fit tournoyer le rhombe au bout de sa lanière, de plus en plus vite, jusqu'à ce que son sifflement atteigne la note exacte de la voix du dieu. Cette note correspondait à une vitesse de rotation du rhombe qu'ils ne devaient pas oublier : ce serait le rythme de leur marche. Le rythme sacré. S'ils le respectaient, ils atteindraient leur but. Dans dix jours.

Le rhombe tournait toujours. Reuben glissa la voix du dieu dans sa ceinture et accorda son pas à celui de Moï. « La note du rhombe le guidera. » Ils devraient chasser en marchant, ne manger qu'à la nuit. Cela ne les inquiétait pas. L'arc de Moï était rapide, ses flèches précises. Bien sûr, le gros gibier leur resterait inaccessible, puisqu'ils n'étaient que deux, mais quelle importance ? Ils auraient du lièvre ou du chevreuil, et peut-être quelques oiseaux.

Ils ne parlaient pas. Les pentes
étaient rudes et les ruisseaux glacés.
Si forte était la voix du dieu qu'elle
résonnait encore à leurs oreilles. Il ne
fallait pas penser au volcan, pas écouter ses rugisse-
ments de colère. Pourquoi le dieu parlait-il dans un
langage qu'ils ne pouvaient comprendre ?

Eux, cela ne les concernait plus. Moï partait sans
se retourner. C'est ainsi qu'il en avait toujours été
convenu avec son père, avec le père de son père et le
père du père de son père, et plus loin sans doute. On
lui avait donné Reuben pour l'accompagner, parce
que le chemin serait long et difficile, et que Reuben
savait des choses du Royaume des Ténèbres.

Reuben savait des choses du Royaume des Ténèbres,
parce qu'il était le fils du sorcier, et qu'il guiderait un
jour lui-même le clan de sa lumière.

En ces temps qui s'annonçaient, quand Reuben
serait le Grand Sorcier, Moï, lui, serait le chef du
clan. Du moins, si tout allait bien. S'il revenait
vainqueur.

S'il revenait.

Il saisit le collier de perles qui battait sur sa poitrine. Sur chaque côté, huit petites pierres crachées
par le volcan. En bas, deux canines de cerf. Et un
vide entre les deux. C'est pour combler ce vide qu'il
partait. Parce que les dents du cerf indiquaient qu'il

appartenait à la famille du chef, elles ne témoignaient pas de son mérite.

– Pourvu qu'ils aient le temps de s'éloigner, souffla Reuben.

Il parlait du clan, qui devait guetter avec appréhension le fleuve de lave brûlante.

– Si le dieu nous disperse, ajouta-t-il avec inquiétude, où les retrouverons-nous ?

– Ne songe pas au retour avant d'être parti. Ne songe pas au pire avant qu'il ne se soit produit, dit Moï.

Reuben baissa les yeux.

– Nous sommes le peuple du Centre du Monde, chuchota-t-il machinalement.

– Nous sommes le peuple du Centre du Monde, répondit Moï en posant sa main sur son cœur.

Au soir, ils atteignaient les marécages lorsqu'il y eut encore comme un coup de tonnerre, lointain cette fois, un nouveau rugissement du dieu. Reuben saisit brusquement son ami par le bras.

– Moï, je comprends ! Je comprends les paroles du volcan ! Il nous dit qu'il est temps pour nous. Oui, nous avons bien fait de partir, c'est ce qu'il voulait. C'est ce que le dieu voulait, tu entends, Moï !

Sans ralentir le pas, ils écoutèrent encore. Mais le dieu s'était tu. Le ciel s'obscurcissait, et le froid se faisait plus vif.

– « Du lever au coucher du soleil dix jours tu marcheras », récita Reuben pour essayer de cacher son trouble. « La note du rhombe te guidera. Va vers le bout du ciel. » Le soleil s'est couché, arrêtons-nous.

Moï déposa sur le sol blanc son arc, son carquois et le sac sur lequel étaient roulées deux peaux de rennes. L'air était épais, presque brumeux. On ne voyait pas le bout du ciel, les odeurs étaient mouillées, terre et humus, herbe et grain. Accomplir les gestes quotidiens les aiderait à affronter ce pays dont ils ignoraient tout. Ils allaient faire du feu, et l'odeur de l'aiguille de pin qui brûle les rattacherait à leur clan.

Reuben sortit de sa ceinture un bâton de bois dur et une plaquette plus tendre, creusée en son milieu, puis il posa le bout du bâton sur la plaquette et le fit tourner vivement entre ses paumes. Moï disposa autour la filasse et les aiguilles de pin sèches qu'il conservait dans son sac. Quand un petit filet de fumée s'éleva en tremblotant, il forma par-dessus un cône de brindilles et souffla doucement sur le point rouge qui venait de naître.

Reuben délia alors les pattes du lièvre mort qui pendait à sa ceinture et sortit son poignard de silex. Avant de fendre la peau de l'animal, il chuchota :

« Frère lièvre, pardonne-nous de vivre de toi. J'ai fait trois fois le signe sur ta tête pour que ton âme s'envole vers la lune et trouve la paix. Va et ne te perds pas en chemin. »

Il eut une pensée pour les âmes de leurs ancêtres qui, elles aussi, étaient parties vers le croissant doré. Il fallait qu'elles l'aident à décider. Si Moï échouait, ce serait terrible, mais il devait s'y préparer. Depuis qu'ils étaient partis, il ne pensait qu'à ça.

Il regarda Moï qui ajoutait au-dessus des flammes un second cône de branches, un peu humides cette fois, et qui devraient sécher avant de s'enflammer. La fumée s'épaissit, tournoya, les enveloppa. Il toussa et recula.

Il faudrait qu'il prenne du temps pour écouter la voix des sources. Elles venaient du royaume du dieu et étaient Sa voix. Saurait-il les comprendre ?

Il saurait. Il suffisait d'écouter, de ne penser à rien et de laisser surgir en soi les images. Toutes les voix du dieu parlaient par des images. Il saurait. Il tourna la tête et regarda derrière lui d'un œil inquiet.

Il n'y avait rien, ou du moins rien qui puisse se voir. Il frissonna.

Ils attendirent en silence que le lièvre soit cuit, le mangèrent sans hâte, et contemplèrent le feu longtemps, jusqu'à ce que leurs yeux se ferment.

Moï ne dormait pas. La voix de
Nephtaïm résonnait encore à ses
oreilles. Avant de le laisser partir, son
grand-père avait pris ses mains dans
les siennes et les avait tenues longtemps, trop longtemps. Et il avait dit ces mots... Des mots qu'il ne
pouvait oublier. Maintenant, il savait ce que tous
ignoraient encore dans le clan. Une boule, dans sa
gorge, l'étouffa. Il devait réussir ! Il devait revenir !

2/ L'aube du vingt-quatrième temps

« Quand il se taira, songea Nephtaïm, oui, quand il se taira, alors ce sera le temps. »

Il eut un regard méfiant vers le rougeoiement du ciel. Rouge est la voix du volcan et rouge est la mort. Mais avant que vienne le temps, il voulait revoir son petit-fils, le fils de son fils, Moï le sceptique, Moï l'étonné, Moï le refaiseur de monde.

Le vieux chef releva la tête. Ses yeux étaient fatigués d'avoir trop cherché, trop regardé, mais son oreille, elle, ne vieillissait pas, et il aurait reconnu ce pas entre tous : Cob s'approchait.

– Pourquoi es-tu caché derrière ces rochers, Nephtaïm ? Je te cherchais.

– Je ne supporte pas cette odeur.

Le jeune homme s'accroupit près de son grand-père et fit remarquer :

– Nous sommes loin de la bouche du dieu, maintenant.

Nephtaïm fixa l'aîné de ses petit-fils de ses yeux délavés.

– Nul ne sait si nous sommes assez loin, dit-il.

– Si, toi tu le sais.

Nephtaïm ne répondit pas. Lui aussi, quand il avait l'âge de Cob, croyait que les vieux possédaient le savoir. Il était si rassurant de le penser. C'était pour cela qu'il ne dirait pas à Cob qu'il ignorait la volonté du dieu. Le dieu-qui-parlait-par-la-voix-du-volcan voulait-il les chasser de son territoire ?

– Dis-moi, fils de mon fils, soupira-t-il, sont-ils partis ?

Cob haussa les épaules :

– Bien sûr, qu'ils sont partis. Je les ai laissés au ruisseau.

– N'aie point d'amertume, mon fils.

– C'est injuste, Nephtaïm, c'est injuste !

– Tu es né à la pleine lune, tu ne peux être chef. La lune est l'œil du dieu, elle te voit partout. L'homme a également besoin d'ombre pour exister.

– Je veux l'ombre ! cria Cob.

– On ne peut pas vouloir ce qu'il est impossible d'avoir.

Cob serra les dents. C'était lui qui aurait dû partir. C'était lui qui aurait dû devenir chef, lui qui aurait dû épouser Delphéa !

– Tu es un chasseur, Cob, poursuivit son grand-père, le meilleur de tous. Alors il faut vouloir être un chasseur, et tu trouveras la paix.

Cob ne répondit pas. Il avait trop mal.

– Comment t'a paru Moï ? reprit Nephtaïm.

– Comme toujours. Je lui ai rappelé qu'il devait se fier à la parole des ancêtres, car les ancêtres ne se trompent jamais, et sais-tu ce qu'il m'a répondu ? Que le monde était différent aujourd'hui, et que les ancêtres parlaient de beaucoup de choses qui n'existaient plus.

– Moï a toujours été ainsi.

– Mais c'est grave, Nephtaïm ! C'est lui qui conduira notre peuple !

Le vieil homme hocha la tête.

– S'il commence à douter, soupira-t-il, il ne réussira pas. Il ne LE trouvera pas.

– Alors ce serait terrible !

– Terrible.

Nephtaïm ferma ses poings et les cogna douce-ment l'un contre l'autre. Du repli de rocher où il s'était réfugié, il ne voyait plus la haute colonne de fumée qui montait du volcan. Ne pas les regarder n'empêchait pas les choses d'exister, et le grondement, sourd et inquiétant, traversé parfois par d'effrayantes explosions, le lui rappelait.

– Tout se présente mal, mon fils, reprit-il. D'abord, nous n'avons pas trouvé le bois de renne. Et ensuite, la voix terrible et rouge du dieu. C'est mauvais tout ça, c'est mauvais. Il sera difficile à Moï de réussir.

Il n'ajouta rien. Il ne voulait pas que Cob perçoive combien Moï tenait de place en son cœur, plus que n'importe lequel de ses petits-fils.

– Il est tout de même parti avec un andouiller, fit remarquer Cob.

– Un andouiller sec, rappela Nephtaïm. Or, les femmes disent qu'il en faut un fraîchement tombé, et les femmes savent.

– Les femmes sauraient plus que les hommes ?

– Les femmes savent.

– C'est le dieu qui l'a dit ?

– C'est moi qui te le dis. (Nephtaïm cogna de nouveau ses poings l'un contre l'autre.) Si les choses étaient autrement, l'homme saurait aussi. Mais la femme a été désignée par le dieu pour donner la vie. La femme donne la vie, l'homme donne la mort.

– Et c'est parce qu'elles donnent la vie qu'elles savent ?

– Non. C'est parce qu'elles ne donnent pas la mort.

Une ombre longue se dessina à leurs pieds. Smaël, le sorcier, était derrière eux.

– Ce que veut dire ton grand-père, Cob, c'est que l'homme est le chasseur puisqu'il est le seul à pouvoir donner la mort. La femme, elle, garde le campement. Elle garde, et regarde, et comprend. Elle garde la tradition, regarde le monde, et comprend les liens entre toutes choses.

Il y eut des cris de frayeur et, les dominant un instant, la voix de Bogdan qui appelait :

– Nephtaïm, Smaël, Cob ! Le fleuve de feu !

Cob bondit sur ses pieds. La coulée de lave roulait vers eux. Déjà, le campement s'agitait en tous sens. On venait à peine de monter les armatures des tentes, on devrait les abandonner sur place.

– Dépêchons-nous, Nephtaïm, lève-toi !

– Partir... soupira Nephtaïm.

Il leva les yeux et son regard croisa celui du sorcier. Il y lut une lueur soudaine. Smaël avait compris. Le sorcier se détourna et descendit rapidement la pente vers le campement. Il ne dit rien car il n'y avait rien à dire.

– Mes forces ne me portent plus, ajouta alors Nephtaïm.

– Ne dis pas ça, ordonna Cob en lui prenant le bras.

– Je dis ce qui est vrai.

– Alors je te porterai.

– Non, Cob. Tu ne me porteras pas, parce que tu ne le dois pas.

– Viens, je t'en prie. Il faut faire vite.

– Cesse de t'occuper de moi, Cob !

Son ton était sec, mais il savait que son petit-fils n'en serait pas impressionné. L'esprit de Cob était solidement ancré dans son corps. Il aurait fait un bon chef si les astres lui avaient été favorables.

– Va, je te suis, ajouta-t-il plus doucement.

Il se leva péniblement. Déjà, les enfants couraient devant. Sur leur visage, l'excitation remplaçait peu à peu la peur, tant est grande l'inconscience de la jeunesse. Les traits de Nephtaïm se creusèrent un peu plus. Il ferait un effort, ne serait-ce que pour Cob, déjà si éprouvé par le départ de son frère. Il leva les yeux vers la masse de feu qui éclairait le flanc du volcan. La rivière rouge venait effectivement de détourner son cours pour venir vers eux. Il fallait se hâter.

Il pressa le pas. Il n'était pas une charge pour le clan, pas encore. Il pouvait aller seul sans mettre

quiconque en péril. Il attendrait le
retour de Moï. Il voulait revoir Moï,
il voulait une dernière fois contempler le monde par ses yeux, parce
qu'il avait confiance : son petit-fils rapporterait
quelque chose de sa quête, et il voulait savoir quoi.

Des femmes ramassaient les meilleures braises et
les jetaient dans un sac de cuir épais. D'autres se
saisirent des outres de peau où l'eau commençait
juste à chauffer et, par habitude, les vidèrent sur
le feu pour l'éteindre, puis elles les enfilèrent par-
dessus leur veste en passant les bras dans les ouïes
de suspension. Les jeunes filles roulèrent les peaux
qu'on n'avait pas encore fixées aux armatures,
les hommes rassemblèrent arcs et sagaies, et leurs
meilleurs outils, et le clan reprit sa fuite vers
d'autres terres.

On ne marcha pas longtemps. Le soir venait, et on
dut s'arrêter à l'abri d'une colline. On n'avait même
pas le temps de monter un camp de fortune avant la
nuit. On ne mangea pas. On se serra les uns contre
les autres autour du feu. Chacun avait sa place atti-
trée, dans un ordre décidé chaque année par les
anciens.

Celle de Cob était malheureusement très loin de
celle de Delphéa, mais elle lui offrait tout loisir

d'observer la jeune fille. Calme et douce. Le feu luisait dans ses yeux. Une nouvelle fois, il se dit qu'elle était la plus belle jeune fille du clan et qu'elle n'était pas pour lui. Son cœur s'emplit d'amertume. Delphéa était réservée au futur chef, et le futur chef était Moï. Il eut une grimace dégoûtée.

A cet instant, Bogdan se leva, tourna ses paumes vers le ciel et psalmodia le chant du feu qui éclaire la nuit et chasse les démons, du feu qui cuit le grain et sèche l'abri, le feu qui réchauffe le corps et l'âme.

– Éternel soit le feu, répondit le clan.

– Le dieu a donné le feu à l'homme pour qu'à tout jamais il se distingue de l'animal, finit Bogdan.

Et il s'inclina vers le feu, qui avait été le premier cadeau du dieu.

Quelques flocons commencèrent à tournoyer. Sans un mot, il se rassit et ramena sur ses épaules sa couverture de renne. Puis il déclara :

– Notre sorcier Smaël doit vous parler.

Smaël ne se leva pas. Son regard fit le tour du cercle, lentement, pour rechercher l'adhésion de tous, et il annonça :

– Une nouvelle fois, le dieu s'est manifesté. Je suis le gardien de la parole du dieu. Aussi je vous le dis, vous entendez la vingt-troisième parole du dieu depuis le début de notre clan. Nous entrons donc aujourd'hui dans un nouveau temps. Ce sera le vingt-quatrième temps de la troisième époque.

Il se tut et referma sa pelisse, comme pour bien signifier que tout était dit.

Une femme prit alors la parole. Son visage était grave et beau, rond comme l'œil du dieu et marqué des rides de la sagesse. C'était Majda, leur mère à tous, la gardienne de l'histoire des peuples.

– Je voudrais que ma voix chemine ce soir vers Moï et Reuben, qu'elle les tienne debout. Ils sont partis en cette vingt-troisième parole du dieu. Que cela soit un signe. Qu'ils reviennent et que leur sagesse nouvelle ouvre pour nous le vingt-quatrième temps.

Nephtaïm considéra Majda avec stupéfaction. Oui, bien sûr, Moï ouvrirait le vingt-quatrième temps ! Il se sentait mieux, beaucoup mieux. Il se tourna vers Cob pour lui adresser un sourire de connivence, mais Cob ne le regardait pas. Cob regardait Delphéa. Nephtaïm se rembrunit.

– Au commencement, reprit Majda, le monde n'était que ténèbres. Les géants s'affrontaient sur la montagne, se frappant de leur gourdin, et la terre en était ébranlée. Et la terre craquait, et l'eau s'engouffrait dans ses plaies. C'était dans la nuit des temps.

« Alors le dieu s'éveilla. Il secoua les montagnes et fit trébucher les géants. Et sa voix fit taire tous les murmures. Les gourdins roulèrent jusqu'au bas des pentes et, dans le monde des ténèbres, comme une fleur rouge et brûlante, s'ouvrit la bouche du dieu. Ce ne fut d'abord qu'une lueur sur l'horizon, mais l'œil des géants en fut aveuglé. C'était dans la nuit des temps.

« Dans un grand cri, le volcan cracha une boule de feu. Elle s'éleva dans le ciel si violemment qu'elle transperça la voûte noire et passa de l'autre côté. Longtemps la blessure saigna, puis, peu à peu, elle se referma. Ne restèrent pour témoins que quelques trous, qui nous rappellent la colère du dieu, et que le feu brûle toujours de l'autre côté.

« Quand le dieu se réveilla, il vit que tout était de nouveau sombre. Alors, pour la deuxième fois, il fit parler le volcan. Il envoya une deuxième boule de feu. Celle-là longea la voûte du ciel et sombra de l'autre côté, dans la mer. Le dieu décida que la lumière était bonne, et que, chaque matin, il lancerait une nouvelle boule de feu. Mais les géants aveugles ne pouvaient quitter les montagnes, et le dieu trouva que la Terre était bien vide. Il se mit à cracher dans l'air sa salive rouge et elle se figea en mille formes étranges. Ainsi furent créées toutes les espèces.

« Or, voilà qu'un jour, deux morceaux de lave tombèrent dans la
rivière. L'un dans l'eau, l'autre dans
les herbes. L'un ressortit nu, l'autre
couvert de poils. Et le dieu vit que les deux êtres à
qui il venait de donner la vie étaient différents des
autres. Au lieu de poser à terre la paume de leurs
mains pour marcher, ils posaient le dos de leurs
poings fermés*.

« Comme la nuit tombait et que le froid envahissait
la Terre, le dieu vit l'être nu se redresser pour cueillir
des feuilles et s'en vêtir. Et il vit qu'il restait debout.

« Alors, les deux êtres qui étaient nés dans la
rivière se regardèrent, celui qui avait des poils et
celui qui n'en avait pas, celui qui était debout et
celui qui ne l'était pas, et ils surent qu'ils étaient
frères, mais qu'ils seraient à jamais séparés. L'être
poilu se perdit dans la forêt. La créature nue leva la
tête, regarda le dieu, et demanda : "Qui suis-je ?"
"Tu es la mère des hommes, répondit le dieu, tu es
la femme, et c'est toi qui donneras la vie."

« Et comme la femme tremblait toujours de froid,
il vit qu'il avait oublié de lui donner une fourrure.
Alors il lança une étincelle et lui offrit le feu. Puis il
disparut, car son œuvre était achevée.

---

* Seuls l'homme et le singe peuvent se déplacer de cette façon.

La neige tombait silencieusement. Nephtaïm voulut faire un geste pour demander la parole et renonça. Ses yeux contemplèrent d'un air presque effrayé sa main posée sur son genou. Il eut envie de crier.

Moï ! Il voulait que Moï revienne !

3/ L'étranger

« Va vers le bout du ciel,
Là où s'éteint le feu. »

— Ces sagaies en bois de cerf ne valent rien, grogna Reuben. Toutes les barbelures cassent.

— Puisque ce n'est pas du renne, n'essaie pas de le tailler comme du renne. Si tu ne peux pas rendre la pointe cylindrique, enlève de l'épaisseur et fais-la plus plate.

Reuben soupira avec agacement. Moï s'accommodait toujours de tout, ne se rendait-il pas compte de ce qui se passait ? Les rennes étaient partis, le dieu se détournait d'eux. Il suffisait de compter tous les signes défavorables depuis leur départ.

Du renne. Il fallait du renne. Il voulait du renne, il voulait que les rennes reviennent ! Il voulait !

Moï continuait imperturbablement de maintenir la cadence. Reuben s'arrêta, ses épaules s'affaissèrent. Cet affreux pressentiment ne le quittait pas. Moï ne parviendrait pas au bout de sa quête. Il avala sa salive avec difficulté. Il devait se reprendre. Il regarda autour de lui et resta stupéfait : là, ce qu'il cherchait depuis si longtemps ! C'était un signe. Un épouvantable signe, mais un signe. Il tendit la main vers la plante.

– Reuben !

Il tressaillit et acheva rapidement son geste. La graine disparut dans son sac.

– Reuben ! Rattrape-moi, il ne faut pas briser le rythme de la marche sacrée. Eh ! Qu'est-ce que tu as ?

Inquiet, Moï hésita un instant, puis il revint en arrière. Il fallait qu'il évalue le temps perdu, pour le rattraper ensuite. Reuben tenait sa tête entre ses mains et pressait ses tempes comme s'il souffrait atrocement. Il ne fallait pas intervenir, pas lui parler. Attendre.

– Des rennes, souffla enfin le jeune
sorcier. Je les ai vus, ils sont deux.

Moï leva la tête. Ils étaient au
milieu du bois de pins, et tout était
silencieux. Si Reuben avait vu des rennes, c'est qu'il
y avait les rennes, mais loin, peut-être. A un jour, à
deux jours, à trois jours de marche. Comment
savoir ?

– Pas loin, précisa Reuben.

– Nous ne pouvons perdre le rythme…

– Le soleil vient de se coucher, nous pouvons nous
arrêter.

Moï tourna les yeux vers l'ouest, « là où s'éteint
le feu ». Les nuages voilaient le ciel, cependant
Reuben ne se trompait certainement pas. Car
Reuben voyait le vrai, il portait autour du cou le
collier des sorciers, celui qui s'ornait au centre de
deux incisives humaines. Moï songea que, lorsque
Reuben succéderait à son père, il glisserait entre ces
incisives une griffe d'ours. Sa voie était lisse et recti-
ligne, il n'avait rien à prouver, il était, de droit, l'hé-
ritier de son père.

Lui, au contraire, devait mériter son collier pièce à
pièce. Le jour où son père Bogdan le lui avait remis,
il portait juste les deux canines de cerf et une perle
de volcan. Tout le clan était rassemblé. Et tous
avaient vu qu'il était sorti de l'enfance, qu'il venait

de tuer son premier lièvre et qu'il était donc digne d'arborer le collier. Au fil du temps, les quinze autres perles avaient pris place, marquant chaque gibier qu'il avait rapporté — le second était un jeune marcassin, le troisième une oie, qu'il avait eue à l'arc. Ensuite, il ne se rappelait pas. Mais maintenant, il arborait les seize perles, il avait grade de chasseur. Ne restait plus qu'un trou à combler. Entre les dents du cerf.

Il s'avança à pas feutrés, scrutant chaque buisson, et, soudain… Une chance incroyable : l'odeur leur arrivait droit dessus, cela signifiait qu'ils se trouvaient sous le vent. S'ils sentaient les bêtes, c'était que les bêtes, elles, ne pouvaient les sentir. Il coula son pas. Éviter les brindilles mortes, poser le pied à plat.

Deux rennes. Ils étaient bien deux. Son cœur s'emballa. Il y avait un mâle et une femelle, et qui broutaient tranquillement. Le mâle était vieux ; à deux, ils l'auraient peut-être. Pour la femelle, aucun espoir. Rien qu'au dessin de ses muscles sous la peau, il savait qu'elle aurait filé avant même que la flèche ne soit partie. Il fit coulisser avec lenteur son arc par-dessus sa tête, tira de son carquois une flèche, la posa sur la corde…

Le vieux renne leva la tête. Son œil était en alerte, son museau fut pris d'un léger frémissement. Moï n'eut pas le temps de tendre la corde, déjà la terre résonnait du galop des fuyards. Il ragea.

— Les premiers rennes que nous voyons depuis des lunes !

— Ce n'était peut-être qu'une apparition, fit Reuben d'un air coupable, je les ai rêvés trop fort.

Moï haussa les épaules.

— Les visions, c'est bon pour toi. Mais moi je les ai vus de mes yeux, je les ai sentis, j'entends encore le bruit de leurs sabots qui nous narguent.

Il repassa son arc en bandoulière. De toute façon, il ne les aurait sans doute pas touchés. Il avait bien senti que sa main mollissait, qu'il ne tendait pas la corde aussi vite qu'il l'aurait dû. Deux bêtes échappées du temps, comme un clin d'œil du dieu.

— Est-ce que ça voudrait dire que les rennes reviennent ? demanda-t-il.

— Non, murmura Reuben. Malheureusement, je suis sûr que non.

Moï sut qu'il avait raison. Il dressa l'oreille, puis, saisissant brutalement son compagnon par sa pelisse, l'obligea à s'accroupir. Un moment, ils restèrent sans bouger, sans même respirer. Une ombre... Elle venait droit vers eux. Une silhouette haute et mince. Ce ne pouvait être qu'un humain. Oui, un homme aux cheveux bruns coupés à hauteur d'épaules, vêtu d'une fourrure sombre. Un jeune homme, à peine plus âgé qu'eux.

– Voilà ce qui les a fait fuir, s'exclama Moï en se redressant.

– Ah ! Vous êtes là, lâcha l'inconnu. Je vous cherchais. Désolé pour les rennes…

– Ça ne fait rien, dit Moï. De toute façon, on n'aurait pas réussi à les avoir. A deux, difficile de les coincer.

Le jeune homme déposa à leurs pieds la dépouille d'un grand marcassin qu'il traînait derrière lui.

– Si vous voulez partager… Nous pourrions camper ici.

Moï regarda vers le ciel. Reuben le rassura aussitôt :

– Nous n'avons aucun retard à rattraper.

– Retard pour quoi ? s'informa l'étranger.

– Nous devons marcher jusqu'au coucher du soleil, dit Moï, et notre pas est dicté par le dieu.

– Quel dieu ?

Ils demeurèrent bouche bée.

– LE dieu ! articula Reuben d'un air outré. Le dieu-qui-parle-par-la-bouche-du-volcan.

– Vous voulez dire le dieu Soleil ?

– Le soleil n'est pas un dieu, protesta Reuben. Le soleil n'est qu'une boule de feu lancée par le dieu.

L'étranger le considéra avec sur-prise, mais n'insista pas. Il commença à dépecer le sanglier. Alors
Reuben sortit son creuset à lave et
entreprit de faire le feu à l'aide des braises qu'il y
avait conservées. Cet étranger le mettait mal à
l'aise. Il prononçait des paroles incohérentes et pouvait être un esprit mauvais ayant pris apparence
humaine pour les tromper.

– Vous ne savez rien, n'est-ce pas, décréta enfin
l'étranger. Les dieux, vous croyez qu'il n'y en a
qu'un.

– Il n'y en a qu'un ! s'écria Reuben scandalisé.

– Il y a un dieu dans chaque chose. Dans le soleil,
dans la lune et les étoiles, dans l'eau et le vent, dans
l'arbre et le rocher.

– Pas du tout ! s'emporta Reuben. Le dieu vit sous
la terre, et c'est lui qui fait pousser les plantes, couler les sources, grandir les arbres, gonfler les rochers
et souffler le vent.

Les deux jeunes gens s'affrontèrent un moment
du regard. Moï n'intervint pas. Ses yeux allaient
de l'un à l'autre avec appréhension. Ils étaient
seuls dans ce monde inconnu, ils avaient une mission, ils ne pouvaient pas risquer le moindre incident qui les détournerait de leur but. D'ailleurs, si
l'étranger était persuadé qu'il y avait plusieurs

dieux, qu'est-ce que cela pouvait bien leur faire ?

– D'où viens-tu ? demanda-t-il pour détendre l'atmosphère.

– Je suis du peuple de l'Ours, je viens des montagnes.

Et en prononçant ces mots, le jeune homme désigna à son poignet un lacet de cuir auquel était attachée une énorme dent d'ours.

– Je n'en crois pas un mot, grogna Reuben. Il y a des géants, sur les montagnes. On ne peut vivre là-haut.

Il y avait dans sa voix du mépris, celui qu'il devait témoigner à un esprit mauvais pour le désarçonner. Le jeune homme n'eut qu'une grimace amusée.

Moï continua de tailler les deux grosses fourches de bois qu'il planterait en terre pour soutenir la broche. Les paroles de Reuben étaient la vérité, les montagnes étaient les sièges des géants. Examinant l'étranger à la dérobée, il nota qu'il avait l'air d'un humain ordinaire, et que son vêtement était fait d'une seule pièce de fourrure.

– Une peau d'ours entière, expliqua aussitôt l'inconnu en remarquant son regard. Un ami à moi. Il était d'accord pour que je prenne sa peau et sa force quand il serait mort.

Il n'y avait pas d'ours sur leur territoire, songea Moï. Pas un seul animal dont on puisse faire un

vêtement complet. Il enviait l'étranger, la solidité et le confort de sa
pelisse.

– Nous portons surtout du castor,
observa-t-il. (Il se redressa.) Nous sommes le peuple
du Centre du Monde.

Le jeune homme fit signe qu'il en avait entendu
parler.

– Je suis Moï, fils de Bogdan, et voici Reuben, fils
de Smaël.

Moï s'attendait à ce que l'autre décline son iden-
tité, mais celui-ci n'en fit rien. Il demanda seulement :

– Où allez-vous ?

Moï désigna d'un geste le couchant avant
d'insister :

– Tu ne nous as pas donné ton nom.

– Vous n'avez pas à me le demander.

– Nous t'avons bien dit le nôtre !

L'étranger le fixa d'un air méfiant, puis il lâcha :

– Je ne vous connais pas. Vous révéler mon nom
serait vous donner prise sur moi.

Reuben le considéra avec suspicion. L'étranger
n'était pas un mauvais esprit, juste un fou, un
homme qui n'avait pas reçu le souffle du dieu.

– Tu n'as rien à craindre de nous, observa Moï.
L'homme n'est pas l'ennemi de l'homme.

L'étranger montra ses dents dans un petit ricanement, et Reuben pria pour que sa folie ne soit pas dangereuse. Moï expliqua :

– Le monde est grand et l'homme est seul. Quand la louve met au monde une portée, la femme n'a qu'un petit. Nous sommes trop peu nombreux, l'homme ne peut être l'ennemi de l'homme. D'ailleurs le dieu l'a dit, « l'homme n'est pas un gibier pour l'homme ».

L'étranger réfléchit.

– Donne-moi un nom, déclara-t-il enfin, je l'accepterai.

Moï haussa les épaules.

– Si tu as un nom, je n'ai pas de raison de t'en donner un autre. Je t'appellerai « l'étranger ». De toute façon, nos chemins vont se séparer. Tu rejoins ton clan ?

L'étranger fit un signe négatif.

Ils restèrent assis en silence devant le feu. La nuit était tombée et le marcassin rôtissait doucement. Dans le bois, on entendait des frôlements étouffés, mais aucun animal n'approcherait. Le feu appartenait à l'homme.

Reuben semblait mal à l'aise. Moï remarquait que, depuis longtemps, il n'avait pas prononcé une

parole. Avait-il peur de l'étranger ?
La peur engendrait la violence, et
l'homme ne devait pas devenir l'ennemi de l'homme.

– T'est-il également interdit de nous révéler où tu
vas ? demanda-t-il à l'étranger.

– Je vais au bout de la terre, pour trouver le ciel.

– Au bout de la terre, il y a la mer, fit Moï, surpris.
C'est là que nous allons.

L'étranger ne répondit pas. Il les considéra tour à
tour et décréta en détachant ses mots :

– Au bout de la terre, il y a le ciel.

Reuben se leva d'un bond. C'était trop. Trop d'in-
vraisemblances, trop de sottises !

– Au bout de la terre, il ne peut pas y avoir le ciel,
s'écria-t-il. Le ciel ne touche pas à la terre. Il est soutenu dans les airs par un arbre, et qui se trouve du
côté du soleil levant, pas au couchant.

L'étranger se leva à son tour, le visage menaçant.

– Un arbre gigantesque, continua Reuben d'un
ton agressif, mais nul ne peut l'atteindre, car il
est défendu par des barrières de feu et un dragon
terrible. Dès qu'on s'approche, il ouvre la gueule et
laisse tomber ses dents énormes. Et chaque dent
devient un guerrier terrifiant.

Moï eut l'impression que l'étranger allait sauter
sur Reuben.

– Arrêtez ! ordonna-t-il d'une voix ressemblant soudain à celle de son père. Nous sommes forts si nous sommes unis, sinon nous ne sommes rien. Si nous ne prenons pas le même chemin, séparons-nous.

Reuben serra violemment les lèvres. Il était fils de Smaël. Or, quand Smaël parlait, tous écoutaient... Il eut un geste de mépris. Allons, cet étranger n'était qu'un fou. Et puis Moï avait raison : *Ce que la parole ne peut résoudre, le silence en viendra à bout.* Il ne se disputerait pas avec ce dément, il se tiendrait loin de lui. Il était là pour assurer la protection de Moï, pas pour le mettre en danger. L'étranger pouvait écumer tant qu'il voulait, cela ne servait à rien de serrer les poings contre les mots. La vérité était ce qu'elle était, aucun poing dressé ne pouvait la soumettre. A l'endroit où finissait la terre, il y avait la mer, puisque le père de Moï, et le père de son père y étaient allés, puisqu'ils l'avaient vue de leurs yeux.

L'étranger tourna subitement la tête et s'approcha du marcassin qui achevait de dorer sur la broche. Et, d'un coup, il éclata de rire, arracha un grand morceau de viande et s'assit.

– Au bout de la terre, il y a le ciel, dit-il d'un ton auquel il voulait donner la force de l'indifférence.

Quand je serai arrivé à l'endroit où le ciel touche à la terre, je dirai adieu au monde d'ici et je passerai de l'autre côté. De l'autre côté du ciel.

Suivit un court silence.

– Que veux-tu faire de l'autre côté du ciel ? interrogea Moï, intrigué.

– Je vais demander des comptes au dieu qui nous a créés. Je vais lui demander des comptes du malheur de mon peuple.

La voix était si véhémente que Moï hésita.

– Quels malheurs ? s'informa-t-il enfin.

L'autre lui lança un regard féroce, mais Moï sut que le regard n'était pas pour lui. Il était destiné à ce dieu de l'étranger, ce dieu qui vivait de l'autre côté du ciel.

4/ Le frère du loup

L'étranger n'était pas un fou, Reuben en était maintenant persuadé, et il était réellement envoyé en mission par son peuple. Pour quoi faire ? Ça...

Reuben avait passé la nuit à retourner dans sa tête des pensées horriblement dérangeantes. L'étranger n'était-il qu'un ignorant, ou y avait-il un dieu pour chaque peuple ? En tout cas, ce dieu qui vivait de l'autre côté du ciel, réel ou inventé, ne les concernait pas. Que l'étranger s'imagine qu'au bout de la terre se trouvait le ciel ne les concernait pas. Il était fort et adroit, il pourrait leur être une aide, cela seul importait. Et si Moï réussissait sa quête...

Reuben entrevit l'immense soulage-
ment que ce serait pour lui et proposa à l'étranger :
– Nous allons du même côté, accom-
pagne-nous.

Et comme Moï lui lançait un regard interloqué, il
poursuivit :

– Deux est plus fort qu'un seul, et trois plus fort
que deux.

Ils marchèrent droit devant, le rhombe rythmant
leur pas. Ils ne parlèrent plus ni du ciel, ni de la mer,
ni des dieux. Deux est plus fort qu'un seul, et trois
plus fort que deux. Ils ne s'arrêtèrent qu'au soir, et
mangèrent un oiseau qui n'était que plumes et os.
La faim leur resta au ventre.

Alors Moï sortit sa flûte. Elle était taillée dans un
os qui avait appartenu au bras de son ancêtre, le
père du père de Nephtaïm. Elle les lierait entre eux
par son langage secret qui met la paix à l'âme, les
garderait de l'amertume, du ressentiment, de la
tentation du mépris. L'étranger n'était toujours
qu'un étranger. Ni lui ni eux n'avaient rien révélé
des raisons de leur voyage. L'homme a besoin de
temps pour donner sa confiance. Demain, peut-
être, s'ils restaient ensemble, tout serait différent.
Demain...

– Au début des temps, commença soudain l'étranger d'une voix basse et monocorde, les géants de la montagne se battirent si fort que leur sang coula en ruisseau. Le dieu qui vit de l'autre côté du ciel se pencha vers la terre et arrêta de sa main le flot de sang. Et le sang se figea le long de sa paume, le sang prit la forme de sa paume, et cette forme était celle d'une femme. Alors la femme regarda le dieu, et le dieu sut qu'il venait de créer un être qui lui tiendrait tête. Il sut que son travail était fini, et il se retira de l'autre côté du ciel. C'est pourquoi la femme est seule à avoir vu le dieu de la création.

Moï et Reuben savaient bien que ce n'était pas ainsi que la femme avait été créée, qu'elle était née de la lave du volcan, mais ils n'en dirent rien. Ils étaient le peuple du Centre du Monde.

L'étranger avait raison en une chose : la femme avait vu le dieu, et la femme devait être protégée, car elle était la créature du dieu. La femme donne la vie, l'homme la mort. C'est ainsi que disait Nephtaïm. La femme construit, l'homme détruit.

Moï ferma les yeux. Il pensait à Delphéa. Depuis le début de son voyage, elle n'avait pas quitté son cœur. Il la sentait, quelque part au fond de lui, comme un voile de douceur et de force. Oui, elle lui donnait la force.

Pourquoi le dieu avait-il choisi que l'homme donne la mort ? Pourquoi l'avait-il obligé à donner la mort ?

Celui qui avait décidé que l'oiseau se nourrirait de graines et le renne de feuilles avait décidé que l'homme vivrait de chair. Et donc qu'il chasserait. C'était à l'aube de la deuxième époque.

De ce temps, l'animal était devenu gibier, et l'homme avait cessé de lui parler. On ne peut parler à celui qu'on tue. On ne pourrait tuer celui à qui l'on a parlé. L'homme s'était coupé d'une partie du monde. Si le dieu l'avait voulu, il avait sans doute ses raisons.

– Moï, où sont les silex ?

– Dans la peau de cerf, au fond de mon sac.

– Vous transportez des silex ? s'étonna l'étranger.

– Sur certains territoires, on n'en trouve pas, informa Moï. « Là où tu vas, dit la Parole sacrée, pas de silex. »

Moï se tut. Dans sa tête seulement se déroula la fin du message. « Emporte six couleurs différentes de la précieuse pierre. »

– Ils ne sont pas taillés, précisa Reuben.

L'étranger jeta aux garçons un regard énigmatique, puis il déclara :

– Je vais en faire provision.

Quand, à longues enjambées souples et silencieuses, l'étranger revint vers eux, il arborait un air préoccupé. Il leur fit signe de tendre l'oreille avant de déclarer :

– C'est une louve.

Un long moment, ils écoutèrent la plainte lancinante.

– Elle cherche son petit, traduisit Reuben. Elle vient vers nous.

– J'espère que le feu ne va pas lui faire trop peur, ajouta l'étranger.

– Chut ! Elle approche.

Ils se turent. L'inquiétude de la louve était en effet plus forte que sa peur mais, maintenant, elle se tenait immobile, en retrait, n'osant plus ni avancer ni reculer.

– Demandez-lui, souffla l'étranger.

Moï se leva et fit quelques pas vers la louve en montrant ses paumes pour signifier qu'il venait en ami. La bête le fixait, toujours immobile. Elle le regarda s'accroupir en face d'elle et poser ses poings fermés sur le sol. Dès qu'il commença à lui parler, elle baissa les yeux. Elle avait toujours eu du mal à soutenir le regard de l'homme. Il disait qu'il n'avait pas vu son petit, et elle le croyait. D'ailleurs elle le connaissait, elle s'en souvenait, maintenant. Elle avait chassé avec son clan au temps où elle était plus jeune. Lui aussi était plus jeune. Son odeur avait légèrement changé, mais elle la retrouvait. Lui ne se rappelait sûrement pas qui elle était. L'homme est sans mémoire, il distingue mal un loup d'un loup. L'homme ne connaît que l'homme.

Cependant… Le garçon plissait son visage, la considérait avec attention. Ses yeux sourirent. Il savait.

Ils se saluèrent. La louve se leva et partit sans se retourner.

Longtemps, Moï la regarda s'éloigner dans la nuit. Quand elle disparut, il en eut presque envie de pleurer. Il revint lentement s'asseoir près du feu.

– Je ne sais pas si elle le retrouvera vivant, soupira-t-il. Il n'est pas encore chasseur.

– Le loup est comme l'homme, dit l'étranger, il ne survit pas seul. Tu lui as demandé le chemin de la meute ?

– Elle va vers la grande plaine.

L'étranger eut un geste de dépit :

– Dommage que nous n'allions pas de ce côté. J'aurais bien fait un bout de chemin avec eux. C'est autrement plus facile pour chasser.

Ils restèrent silencieux. La grande plaine, Moï et Reuben la connaissaient. Elle était toujours balayée par les vents, mais on y trouvait les grands troupeaux. La chasse. Les cris. Le chant du silex. On s'endormait blotti dans les fourrures, dans l'abri apaisant de la tente. Pas comme ici.

– Ils ne voulaient pas se détourner de leur route ? demanda Reuben.

– Je n'ai rien proposé, reconnut Moï. L'animal n'est motivé que par sa survie. Le bout du ciel, il s'en moque… à moins qu'y paisse un troupeau.

Au loin, on entendit de nouveau l'appel angoissé de la mère. La nuit était de plus en plus noire. Le cri se tut. Pourtant, longtemps encore, il résonna dans l'oreille des voyageurs.

– Il est terrible d'être loup, remarqua enfin l'étranger.

– Moins que d'être homme, déclara Moï. Le loup est mieux armé, et sa meute aussi bien organisée.

– Comment peux-tu comparer le loup et l'homme ? s'exclama l'étranger. Devenir loup est une punition.

– Comment ça ?

– Un homme qui tue un homme est changé en loup. C'est bien une punition n'est-ce pas ?

Moï demeura silencieux. C'était la première fois qu'il entendait une telle affirmation, mais cela expliquerait pourquoi, depuis la nuit des temps, les clans de loups et les clans d'hommes vivaient si proches, et de manière si semblable. L'homme et le loup étaient frères.

– Si l'homme devient loup, dit-il pensivement, il perd le feu. Il marche sur la paume de ses mains, qui en sont à jamais souillées. A jamais, il perd l'usage de ses mains.

– Si l'homme devient loup…, reprit Reuben. (Il écarta d'un mouvement de bras cette idée idiote.) L'homme ne devient pas loup.

– C'est parce qu'il n'a pas l'usage de ses mains, poursuivit pensivement Moï, qu'il ne peut enterrer ses morts. Et ses morts restent pour l'éternité loin du dieu.

Oui… en cela devenir loup pouvait bien être une punition.

Le regard de l'étranger se figea. Il dit :

– Vous faites partie de ces sauvages qui abandonnent leurs morts ?

– Nous ne les abandonnons pas, protesta Moï, nous les rapprochons du dieu.

– Nous les confions au dieu qui dort sous la terre, confirma Reuben.

L'étranger ouvrit des yeux scandalisés :

– Jamais, jamais nous ne laisserons nos ancêtres loin de nous. C'est une chose terrible !

Reuben serra les dents. Ce sauvage allait-il maintenant leur donner des leçons ?

Moï non plus ne comprenait rien à l'attitude de cet étranger, mais la meute leur faisait défaut et le chemin était long. Il serait bon de poursuivre la route ensemble. Et puis, la curiosité le démangeait de savoir ce que cherchait le clan de l'Ours, ce que son messager voulait faire de l'autre côté du ciel. Pour le rassurer, il précisa :

– Nous enduisons leurs ossements d'ocre, d'ocre rouge. Car rouge est la vie.

L'étranger détourna la tête.

De longues minutes, ils ne trouvèrent plus rien à se dire, ou peut-être plus rien qui se puisse dire sans colère ni dégoût. L'étranger étala sa fourrure sur le sol et s'allongea dessus. Puis il en ramena le bout sur ses jambes et, croisant ses mains sous sa tête, demeura immobile à contempler les étoiles.

– Ne bougez plus, souffla Reuben, il y a quelqu'un.

Il désignait du doigt quelque chose qui dépassait des tiges jaunes. Mais, soudain, tout disparut. Il n'y eut plus que l'herbe et le vent.

Alors leur revinrent en mémoire les récits qui semaient la terreur dans leurs nuits d'enfants. Les êtres maléfiques qui emportaient la vie des nouveau-nés. Les ombres qui glissaient dans la steppe, s'envolaient sur le dos du vent et paralysaient l'esprit des anciens, fauchaient la force des hommes, rampaient le long des tentes en distillant la mort de leurs mains silencieuses. Ils perçurent mille bruits, dont chacun recelait une menace nouvelle. Longtemps, ils attendirent, l'oreille aux aguets. Il y avait dans l'air une odeur qu'ils ne connaissaient pas. Pas une odeur d'animal. Enfin, ils se consultèrent du regard.

– Je prends le tour de garde, décréta Moï.

– Je prends le second, chuchota Reuben.

L'étranger acquiesça. Il veillerait pendant la troisième partie de la nuit.

5/ Des signes inquiétants

Les premières lueurs du matin les trouvèrent endormis. Quand Moï fut tiré du sommeil par des frôlements sur l'herbe, il était trop tard. Il se redressa et n'eut que le temps de les voir filer. Trois êtres étonnants : des hommes petits, râblés, noirs de peau. Le haut de leur corps était nu malgré le froid et orné de traces ocre.

– Ils nous ont pris le feu ! hurla Reuben en bondissant sur ses pieds.

Il leur courut après, aussitôt suivi par l'étranger.

Quelque chose siffla dans l'air. Une lance ! Ces maudits fils de sangliers répliquaient à la lance !

Ils s'arrêtèrent net. Ils n'avaient même pas pris d'arme. Reuben cracha dans l'herbe avec dégoût en les regardant filer à travers les herbes.

L'étranger fit demi-tour et se précipita sur son arc.

– Je vais les tuer ! grinça-t-il.

– Tu es fou, s'écria Moï en le retenant par le bras. Ce n'est que du feu !

– J'étais de garde, lança l'étranger en se dégageant violemment.

– Reviens, hurla Moï, tu ne les retrouveras pas !

Mais l'étranger ne l'écoutait pas. De ses longues enjambées, il semblait voler sur les herbes. Moï se mit à courir derrière lui. La rage de l'étranger tenait plus à sa propre faute à lui qui s'était endormi, qu'à celle de ces voleurs de feu. Et il allait les tuer parce qu'il était en faute ! C'était injuste et terrible. Rien ne valait la mort d'un homme ! Pris de panique, Moï s'arrêta et cria :

– Reviens ! Le soleil se lève, il faut que nous partions !

Il avait trouvé ce qu'il fallait dire. L'étranger ralentit, puis regarda autour de lui avec colère. Les petits hommes avaient disparu.

– Les imbéciles, grinça Reuben. S'ils voulaient du feu, pourquoi ne pas le demander ? Et ils ont tout pris ! Regardez ça…

Les petits noirauds avaient totale-ment saccagé leur foyer. Pourquoi, alors que quelques braises suffisaient à allumer un feu ? Il repéra une petite tache encore rouge, y déposa vite un peu d'étoupe et souffla dessus avec colère. Trop de colère. Le rouge s'éteignit. Il serra les dents.

– Ils ignorent peut-être comment faire du feu, observa Moï.

– Des sauvages, lâcha l'étranger avec mépris. Et toi qui prétends que l'homme n'est pas l'ennemi de l'homme…

– Ils ont juste pris des braises.

– Ils m'ont visé avec leur lance ! protesta Reuben.

– Parce qu'ils avaient peur. Ils sont beaucoup plus petits que nous. En cas de bagarre, ils perdraient. L'agressivité est l'arme des faibles. (Il ramassa les fourrures entre lesquelles il avait dormi.) Mon père les a déjà rencontrés, ce sont des chercheurs de silex.

– Ceux du peuple-sans-silex ? s'étonna Reuben en regardant du côté où les voleurs avaient filé. Ils n'ont ni la science du feu ni le silex, ce sont des maudits du dieu…

– Mon père, reprit Moï, dit qu'ils n'hésitent pas à marcher une lunaison entière pour trouver la variété de silex dont ils ont besoin. Mais ils ne sont pas dangereux.

Par mesure de prudence, il vérifia tout de même ses flèches, éprouvant la solidité de la résine qui en fixait les pointes effilées. Il les glissait de nouveau dans le long étui de peau de chèvre, quand l'étranger demanda :

– Qui appelles-tu « mon père » ?

– Eh bien… l'homme de qui je suis né.

L'étranger le fixa d'un regard incrédule, puis il déclara :

– Moi, je suis né d'une femme.

– Nous aussi, naturellement, répliqua Reuben d'un ton sarcastique. Comme tous les hommes, et tous les animaux. Nous sommes tous nés de l'union d'une femme et d'un homme !

L'étranger secoua la tête.

– Bien sûr que non ! L'homme ne joue aucun rôle. C'est l'âme des ancêtres qui entre dans le corps des femmes pour renaître sous forme d'enfant.

Moï fit signe à Reuben d'éviter tout affrontement. Il cherchait les mots qui pouvaient convaincre. Comment savait-il ce qu'il venait d'affirmer ? Comment son peuple avait-il un jour découvert la cause de la naissance des enfants ?

– On peut ne pas s'apercevoir du rôle de l'homme, commença-t-il enfin d'un ton mesuré, parce qu'il se passe beaucoup de temps entre le moment où l'enfant entre dans le corps de la femme et celui où il naît. Mais la femme qui ne connaît pas d'homme ne porte jamais d'enfant.

L'étranger se mit à rire :

– Bien des femmes qui vivent avec des hommes n'en ont pas non plus.

Il roula sa couverture et finit :

– Croyez-moi, chaque enfant est le réveil de l'âme d'un ancêtre. C'est ce qui fait le malheur de mon peuple. Certains de nos ancêtres ont sans doute commis des fautes, et leur âme renaît en des enfants mal formés.

– C'est pour cela que tu veux aller trouver le dieu qui vous a créés ? interrogea Moï.

– Oui. Bien qu'on enterre ces enfants vivants pour que leur âme ne puisse pas s'échapper et renaître à nouveau dans le corps des femmes, le malheur continue.

– Vous les enterrez vivants ? s'ahurit Reuben.

– Sur chaque enfant, nous sacrifions cinq bouquetins. Nous entourons son corps de cinq massacres* pour que l'âme reste accrochée aux cornes. Nous tapissons la fosse de pierres et recouvrons de terre. Et nous tassons, tassons… Rien n'y fait. Tout continue

---

* Tête séparée du corps de l'animal après sa mort.

comme avant. Alors j'ai été désigné, moi qui suis né sain d'un ancêtre irréprochable, pour aller interpeller le dieu. Si nous savons quelles fautes ont commises nos ancêtres, nous pourrons réparer. Je le saurai. De l'autre côté du ciel.

Sans rien dire, ils accrochèrent sacs et carquois sur leur dos et regardèrent vers le levant.

– « Dix jours tu marcheras, Tu trouveras la mer », prononça alors Reuben avec pitié. « La mer », tu comprends ? « Va vers le bout du ciel, Là où s'éteint le feu, Tu trouveras la mer. » Cela signifie que, là où le soleil se couche, il y a la mer. Les textes sacrés le disent. Si tu cherches le ciel, il faut que tu prennes un autre chemin.

L'étranger secoua la tête et soupira d'un ton apitoyé :

– Vous ne savez rien. Vous croyez qu'il y a des géants sur les montagnes, et vous enterrez vos morts.

Les autres ne répondirent pas.

– Pourquoi cherchez-vous la mer ? reprit-il.

Reuben leva vivement les yeux vers le ciel et dit :

– Regardez, la lune se décharge peu à peu de son fardeau. Hier, elle transportait plus d'âmes. « La lune est l'œil du dieu. » Sous sa paupière, elle mène les âmes d'un bout à l'autre du ciel. Quatorze jours elle se charge jusqu'à disparaître sous son fardeau,

quatorze jours elle se décharge, et son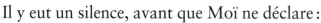
œil clair et lumineux nous regarde.

L'étranger eut un sourire amusé.

– Vous ne voulez pas me dire pourquoi vous cherchez la mer ?

Il y eut un silence, avant que Moï ne déclare :

– La langue est un piège. *Ne dis pas tes projets, si tu veux qu'ils se réalisent.*

– Bien, après tout, qu'importe ! Je propose que nous continuions à suivre le même chemin. Ainsi, nous saurons ce qui, du ciel ou de la mer, est au bout.

– Restons ensemble, acquiesça Moï, deux est plus fort qu'un seul, et trois plus fort que deux.

Il saisit son sac et vida ses silex sur le sol. Puis il les organisa en une pyramide et décréta :

– Il faut prêter serment.

L'étranger tendit alors sa main au-dessus du tas de pierres et déclara :

– Je promets d'être loyal, de vous aider et de vous secourir. J'engage par ma parole ceux du peuple de l'Ours.

– Je promets, reprit Moï, d'être loyal, de vous aider et de vous secourir. J'engage par ma parole ceux du peuple du Centre du Monde.

Reuben ne semblant pas vouloir bouger, l'étranger ordonna :

– Jure aussi.

– Reuben ne peut pas jurer, intervint Moï. Reuben voit des choses par-delà les choses. Son esprit doit rester libre, mais tu n'as rien à craindre de lui.

Il faisait froid, toujours froid, et la savane s'étirait interminablement vers le couchant. Ils auraient dû rencontrer le fleuve, et ne l'avaient pas vu. A leur odeur, les oiseaux s'échappaient en piaillant et les petits rongeurs filaient entre les herbes. Les troupeaux d'aurochs, eux, se contentaient de les regarder passer avec curiosité. La neige hésitait. Elle voletait de-ci de-là, sans parvenir à s'agripper ni au sol, ni aux tiges grises et sèches. Régulièrement, Reuben se retournait pour envelopper d'un regard soupçonneux l'immensité glaciale.

Tout d'abord, ce furent les chèvres, qui attirèrent leur attention. Ils ne comprirent pas tout de suite ce que cette présence avait d'insolite. Puis ils virent les jeunes arbres, d'une espèce inconnue. Des arbres sans feuilles. Des squelettes.

La Parole sacrée ne parlait pas d'arbres, ni de squelettes d'arbres, seulement de savane, d'herbe, d'oiseaux et d'aurochs. C'était mauvais signe. Moï et Reuben se consultèrent du regard. Ils avaient beau se réciter la Parole sacrée en pesant chaque mot, ils ne trouvaient aucune référence à ce qu'ils voyaient là. Bois de pin, oui, il en était question par deux fois mais, ensuite, plus d'arbres pendant très longtemps. Et ils ne voyaient toujours pas le fleuve… S'étaient-ils trompés de chemin ? Où se trouvaient-ils, alors ?

Un bref instant, la pensée qu'ils étaient peut-être passés de l'autre côté du ciel les effleura. Mais le ciel était toujours au-dessus, et devant, et derrière.

– Siffle, Reuben.

Le garçon porta à ses lèvres la voix du dieu et Moï fit tourner le rhombe. Aucun doute, ils marchaient toujours du bon pas. Ils se sentirent soudain oppressés. Rien n'allait. Ils faisaient de leur mieux, mais rien n'allait. Moï repassa dans sa mémoire la Parole sacrée de la nuit des temps, puis les Paroles des temps nouveaux, puis celle du vingtième temps de la troisième époque, qui avait été rapportée par son père. Et, même dans celle-là, il n'était pas question de squelettes d'arbres.

« Au neuvième jour, tu verras la forêt de feuilles rousses », c'était la seule phrase qui pouvait avoir un rapport avec ce qu'ils avaient devant les yeux. Seulement, ils n'en étaient qu'au quatrième jour, il n'y avait pas de feuilles, ni vraiment de forêt.

Peut-être n'était-ce pas trop grave. Si, malgré tout, Moï menait à bien sa quête, il aurait le droit de reprendre la Parole sacrée. Alors il parlerait de ces arbres et il dirait : « Au quatrième jour, des squelettes de jeunes arbres. »

Ce serait la nouvelle Parole, celle du vingt-quatrième temps de la troisième époque.

6/ Le nouveau campement

– Ensemble ! cria Bogdan.

Les quatre grosses perches s'inclinèrent, entremêlant leurs fourches terminales. A elles seules, elles donnaient déjà la forme définitive de la tente, c'est pourquoi Majda considéra la construction d'un œil critique avant de déclarer :

– Ça ne va pas.

– Qui a préparé ces perches ? demanda Bogdan d'un ton sévère. Celles de devant sont presque de la même longueur que celles de derrière. Vous n'avez donc rien appris ?

Les quatre jeunes garçons qui montaient l'armature levèrent la tête pour regarder le faîte des perches, comme si la réponse s'y trouvait cachée.

— J'ai bien l'impression que le trou d'en haut va se situer au milieu, reprit Majda d'un ton amusé.

— Une tente est prévue pour dormir et tenir le matériel au sec, martela Bogdan avec impatience. Si le trou est au centre, tout est mouillé par la pluie.

— Et mon feu, ajouta Majda, s'il est au centre, je m'enfume. Où doivent se trouver le trou, et donc le feu ?

— Plus près de l'entrée que du fond, répondit un garçon d'un air confus.

— Et pour que le trou se trouve plus près de l'entrée, que faut-il ? tempêta Bogdan. Que les perches de ce côté-là soient plus courtes ! Retaillez-moi ça !

Et comme Majda lui faisait un geste d'apaisement, il lui souffla :

— La honte aide la mémoire.

Il se retourna pour observer l'ensemble du camp. L'endroit qu'il avait choisi, très plat, n'était pour l'instant qu'un chantier de branches mais, avant que le soleil ne décline, il serait transformé en véritable campement. Il aimait ce moment où rien devenait tout, où un lieu étranger se muait, par la grâce de quelques branches et de la main des hommes, en un

village familier. Les perches de char-
pente se levaient, s'accrochaient,
d'autres plus petites s'intercalaient.
Là-bas, ses trois fils en étaient déjà à
lier les perches entre elles par de fortes herbes. La
tente familiale serait prête la première. C'était bien,
la famille du chef devait toujours donner l'exemple.

Du côté de la tente de Nephtaïm, tout semblait se
passer convenablement. Les volontaires ne manquaient jamais pour aider le vieil homme, depuis
que, tout comme Majda, il avait décidé qu'il dormi-
rait seul, à l'écart. Une manière de préparer le clan à
se séparer définitivement de lui.

Nephtaïm fit le dernier nœud, celui qui attachait la
dernière peau à l'armature de sa tente, et lui jeta un
regard de connaisseur. Rien à redire. Inutile de faire
trop solide, on ne resterait pas ici bien longtemps.

Il suivit des yeux Cob qui s'éloignait vers le foyer
principal, au centre du campement. Delphéa y
surveillait le chaudron de cuir. Il n'entendit pas
ce que disait le jeune homme, mais sa manière de
se dandiner d'un pied sur l'autre démontrait clairement qu'il n'était pas très à l'aise. Intimidé et un peu
coupable.

Intimidé par le sentiment qu'il ressentait pour
Delphéa, coupable de trahir son frère ? Nephtaïm

prit une grande inspiration, pour empêcher l'angoisse de se glisser de nouveau dans son cœur. Cob était beau et fort, Moï était loin, et Delphéa n'était qu'un être humain.

Le regard de Nephtaïm revint vers le groupe des petits qui peignaient des taches de couleur sur des pierres rondes pour se mesurer au jeu du galet. Une petite main se glissa dans la sienne.

– Il reviendra bientôt, hein ?

– Bientôt, Dol, répondit Nephtaïm sans même demander de qui parlait l'enfant.

– Il est très fort, hein ?

– Très. Et puis il connaît la Parole sacrée.

– Et il a emporté les six silex.

– Je les lui ai donnés moi-même.

En remettant à Moï les six silex, Nephtaïm lui avait parlé. Il lui avait dit ce qu'il n'avait encore dit à personne d'autre : que sa hanche le brûlait, que la douleur descendait jusqu'aux orteils, qu'il avait parfois envie de crier en posant son pied sur le sol. Il lui avait dit que, bientôt, il ne serait plus là. Bientôt. Et aussi de ne pas avoir d'inquiétude, car il pouvait encore marcher.

Chaque soir, il ajoutait un caillou pointu dans le sac sur lequel il posait sa tête pour dormir. Le premier lui avait causé de vives douleurs, le second un peu moins. Beaucoup de tourments anéantissent le tourment. Chaque caillou qu'il ajouterait diminuerait la souffrance. Quand il poserait sans crainte la tête sur son sac, alors Moï serait sur le chemin du retour. Dix jours, et encore dix. Il tiendrait.

Depuis la veille, on n'entendait plus les cris du dieu, on n'apercevait même plus dans le ciel le souffle noir de sa respiration. S'était-il juste assoupi ou se taisait-il pour toujours ?

– La Parole sacrée, c'est trop compliqué, commenta Dol, moi, je ne pourrais pas la retenir.

Nephtaïm sourit. Non, ce n'était pas compliqué. Le principal était d'entraîner sa mémoire petit à petit. Son père la lui avait apprise. Lui l'avait ensuite enseignée à son fils Bogdan, à son petit-fils Moï. Même aujourd'hui que le temps avait laissé sa marque sur lui, il se rappelait tout, il revoyait tout, chaque phrase évoquait encore l'image qui lui correspondait.

Le centre de la Parole sacrée restait la bouche du dieu. Il suffisait d'en faire le tour en désignant une pierre à chaque phrase. La pierre du volcan est si changeante : elle est grise, ou noire, ou rouge, ou bleue, mousseuse ou éclatée, elle coupe ou elle coule... On commençait toujours par la vallée de poussière. Poussière ocre : « Quand tu auras trouvé le bois par le renne laissé »... Et là, le regard tombait sur une petite roche noire et creuse : « Alors tu partiras. » Autour, de minuscules pierres bleues et noires, et légères : « Du lever au coucher du soleil dix jours tu marcheras. »

– Et après ?

Nephtaïm jeta à l'enfant un regard étonné.

– Après quoi ?

– Tu as dit qu'on regarde les pierres noires et qu'on récite : « Du lever au coucher du soleil dix jours tu marcheras. »

Nephtaïm eut un pauvre sourire. Allons ! Voilà qu'il parlait tout fort, maintenant.

– Après, soupira-t-il, je me rappelle aussi, mais je n'ai pas le droit de te le dire.

– Pourquoi ?

– Parce que seuls les fils du chef ont le droit de savoir.

– Pourquoi ?

– Parce qu'ils ont, seuls, le droit de faire le voyage.

– Pourquoi ?

– Pourquoi ! Pourquoi ! Arrête tes « pourquoi », c'est ainsi.

– Parce qu'ils sont les seuls à pouvoir porter le Coquillage ?

– Voilà, tu as trouvé. Le Coquillage dont on ne doit pas prononcer le nom est la marque des chefs. Tu ne peux pas être chef si tu ne possèdes pas le Coquillage.

– Moï le trouvera ?

– Je l'espère.

– Tu l'as trouvé, toi ?

– Bien sûr. Sinon, je n'aurais pas pris la tête du clan. Je n'étais que le troisième fils du chef. Mes deux frères sont partis avant moi, et ils ne l'ont pas trouvé.

– C'est que tu es plus fort.

Nephtaïm demeura pensif. Ses frères, avant lui, avaient ramassé un andouiller de renne fraîchement tombé, comme le recommandaient les femmes. Et puis ils avaient attendu pour partir, il ne se rappelait plus pour quelle raison. En ce temps-là, la Parole disait simplement : « Tu trouveras le bois par le renne laissé, et tu partiras. » Lui s'en était allé tout de suite après avoir recueilli l'andouiller, et il avait trouvé le Coquillage, la Cyprée sacrée. Alors, il avait modifié la Parole, et la nouvelle Parole disait : « Quand tu auras trouvé le bois par le renne laissé, alors tu partiras. »

En réussissant à son tour, son fils Bogdan avait prouvé la justesse du nouveau message. Or voilà qu'aujourd'hui les rennes avaient disparu, et que Moï n'avait pu trouver de bois frais... Peut-être était-ce un signe ? Peut-être le clan aurait-il dû suivre les rennes, remonter vers le nord comme d'autres l'avaient fait ?

Mais comment quitter ce territoire qui était le leur ? Ils savaient les ruisseaux, et où trouver l'aurochs. Ils savaient la langue du volcan et connaissaient les loups. Ils étaient le peuple du Centre du Monde.

Moï... Il fallait qu'il réussisse ! Dix jours, et encore dix pour revenir.

Nephtaïm ramassa l'omoplate de renne qui lui servait de pelle et entreprit de creuser des rigoles autour de sa tente. Si la neige se transformait en pluie, il ne voulait pas être inondé. Pourtant, aujourd'hui, même la pluie, il l'aimait. C'est qu'il s'en allait, et il sentait tout ce qu'il y avait de bon dans l'existence, tout ce qu'il allait perdre.

Parce que, quoi qu'on fasse, son temps était venu.

Cependant il fallait qu'il tienne encore, que son esprit continue à soutenir Moï pour qu'il réussisse. Car Moï doutait. Moï doutait de tout. Ses « pourquoi » à lui n'avaient pas de fin.

Est-ce qu'il n'avait pas raison ? Les temps changeaient, il le voyait bien, lui qui avait vécu si longtemps.

– Nephtaïm… Est-ce que Moï va être mort ?

– Voyons, Dol, pourquoi dis-tu cela ?

– Smaël dit qu'il doit protéger Moï de la mort.

Nephtaïm se redressa et chercha vivement le sorcier du regard.

– Comment c'est, la mort ? reprit Dol. C'est comme les lièvres ?

– La vie est rouge, souffla distraitement Nephtaïm. Elle s'écoule ou elle se fige, et alors, c'est la mort.

Dol posa une nouvelle question, mais il ne l'entendit pas. Il avait repéré le sorcier agenouillé au bord de la rivière.

Devant Smaël, sur un espace plat et soigneusement nettoyé, on voyait des signes étranges, et aussi une ligne sinueuse. La ligne dessinait le chemin suivi par les deux garçons, et la rivière représentait la mer, Nephtaïm en était sûr.

La mer, il l'avait vue, lui. Lui et ensuite son fils Bogdan. Nul autre ne pouvait s'imaginer l'infini de l'eau. Personne d'autre ne pouvait avoir l'idée de ce qu'était l'infini.

– Quelque chose ne va pas, Smaël ? demanda-t-il en s'accroupissant près de lui.

 Le sorcier effaça tout d'un revers de main avant de répondre :

– Reuben est inquiet, je le sens.

Nephtaïm ferma les yeux et croisa ses doigts noueux pour conjurer le mauvais sort, puis il se releva lentement. D'un coup, la douleur irradia sa jambe, son dos, un éclair aveugla ses yeux, dessinant des cercles lumineux qui semblaient s'échapper de son corps en emportant ses forces. Il rassembla toute son énergie pour tourner le dos et que Smaël ne lise pas la souffrance sur son visage. Lentement, il remonta vers le camp en s'efforçant de ne pas boiter.

Mais le sorcier ne s'occupait pas de lui. Il avait plongé ses mains dans l'eau et récupéré la statuette qu'il y avait cachée. Il continua à la modeler avec soin, ajoutant et retirant des morceaux de cette vase visqueuse qui tapissait le fond de la rivière où la femme, un jour, avait pris naissance. Son fils Reuben lui envoyait des messages qui l'alarmaient. Moï et lui suivaient mot à mot le texte sacré et, pourtant, quelque chose n'allait pas.

Nephtaïm s'assit avec peine sur les silex entassés devant sa tente. Il ne pouvait pas plier son corps plus bas. Il regarda sa main et y lut la forme des pierres qu'elle avait si souvent taillées. Il y vit aussi les rides, et les veines qui s'y dessinaient en saillie.

Voilà, le temps venait. Il irait sur la montagne et chercherait la fourmilière. Oui, il ferait ainsi.

Cob examina le cercle de son clan installé autour du feu et hésita un instant. Il ne pouvait pas aller s'asseoir auprès de Delphéa, pas encore. Le clan ne tolérerait pas qu'il montre ainsi ses projets, pas avant qu'on soit sûr que Moï ne reviendrait pas, qu'il ne trouverait pas la Cyprée.

Car, le Coquillage sacré, il ne le trouverait pas, tous les signes du ciel le disaient, même si chacun essayait de se persuader du contraire. Et s'il ne le trouvait pas, il ne reviendrait pas. Bien que Nephtaïm l'ignorât, Reuben était là-bas pour y veiller.

C'est en voyant la tension et la gravité du visage de Smaël, près de la rivière, que Cob avait compris. Et il en avait été bouleversé, à la fois de peine pour son frère et d'espoir à cause de Delphéa. Il avait un peu honte de cet espoir mais, ce qu'avait décidé le dieu, il n'y était pour rien ! Il aimait Moï, il ne voulait pas sa mort !

Gala chantait l'hommage au silex, silex qui frappe et râpe, silex qui perce, tranche et creuse.

– « Tu es le fruit de la terre, Tu es la griffe et la dent », répondit le clan.

Cob gagna sa place et s'assit. Alors Bogdan dit :

– « Au commencement du monde, l'homme naquit de la lave du volcan,
Et le feu sauva l'homme.
A la fin des premiers temps, le dieu s'endormit,
Et le silex sauva l'homme.
A la fin des seconds temps, le dieu s'éveilla,
Et l'aiguille sauva l'homme. »

Cob n'écoutait pas. Derrière ses paupières mi-closes, il fixait Delphéa. Avec intensité. Il voulait que la force de son regard pénètre en elle. S'il faisait ainsi chaque soir, il finirait par influencer ses sentiments. Bien sûr, lorsque les vingt jours laissés à Moï seraient passés, on la lui donnerait pour épouse, mais ça ne lui suffisait pas. Il aimait trop Delphéa pour se contenter de son obéissance. Il souhaitait que, dans son cœur, elle l'ait choisi. Demain, il chasserait pour elle un lièvre blanc, et elle s'en ferait un col de douce fourrure.

Le son d'une flûte perça la nuit, une autre lui répondit. Cob détourna son regard. Delphéa n'avait pas levé une seule fois les yeux, et c'était plutôt bon signe, celui que son cœur était tourmenté.

– A l'aube des premiers temps, dit alors Majda, l'homme ne savait rien du silex et n'en avait pas besoin. Il était vêtu de feuilles, il mangeait les fruits des arbres, des fruits colorés et doux, mille délices dont nous avons perdu jusqu'au nom. C'était la première époque.

« La première époque dura longtemps, et le dieu parla souvent par la voix du volcan, si souvent qu'il se fatigua et voulut dormir. Et il s'enfonça sous le volcan.

« Alors vint le froid. Les fruits moururent, les arbres craquèrent. La glace recouvrit la terre.

« L'homme tremblait de faim et de froid. Il pria le dieu, supplia le dieu, mais le dieu dormait. De colère, l'homme se saisit d'une pierre et la jeta vers le dieu pour le frapper. La pierre se fracassa sur la pente du volcan, éclatant en mille lames pointues, en mille lames tranchantes. Et l'homme sut que le dieu lui avait donné l'arme et que, par cette arme, il lui donnait à manger.

« Par cette arme, aussi, il le faisait bourreau. Comme le dieu ne l'avait pas doté de fourrure, l'homme dut tuer l'animal pour lui prendre la sienne. Comme le dieu lui avait ôté sa nourriture, l'homme dut tuer l'animal pour prendre sa chair. Le silex devint sa griffe et sa dent.

« Et ce fut la fin de la première époque. La fin des temps où l'homme vivait en paix avec les animaux. La fin des temps où l'homme vivait en paix.

Nephtaïm regardait danser les flammes. La fin des temps de paix… La douleur dans sa jambe était insupportable. Il aurait aimé attendre un peu, il aurait aimé que Moï soit présent lorsqu'il annoncerait l'inéluctable. Mais, ce soir, il était important que le clan sache qu'il ne serait pas une charge, qu'il ne le mettrait pas en péril. Sans regarder personne, il leva la main pour signaler qu'il voulait parler.

– Aujourd'hui je vous l'annonce, déclara-t-il, car je le sais. Le temps est venu pour moi.

Tous fixèrent le feu sans un mot.

– Le temps est venu, murmura encore Nephtaïm.

Sa voix se brisa, et le silence de la nuit se posa sur le camp.

7/ Le souffle du dieu

– Des arbres! s'exclama Moï avec anxiété. Regarde, ce sont de grands arbres!

Reuben fronça les sourcils, contempla les hautes silhouettes qui veillaient sur la plaine. A voix basse pour que l'étranger n'entende pas, il souffla:

– Ce n'est peut-être pas grave. Le texte sacré ne parle pas forcément de tout.

Il ne le disait que pour se rassurer, il n'en pensait pas un mot.

– Dans le territoire du peuple de l'Ours, fit remarquer l'étranger, le dieu de la forêt aime jouer avec les arbres. Il fait mourir les uns et naître les autres.

Reuben se retint de souligner qu'il n'y a pas de dieu de la forêt, et que seul le dieu-qui-parle-par-le-volcan souffle par-dessous la terre pour faire pousser les plantes.

– Vous avez des arbres comme ceux-ci ? s'enquit Moï.

– Nous avons beaucoup de variétés d'arbres, surtout dans les vallées.

– Chez nous, les arbres ne sont pas nus, dit Reuben, ils ont des aiguilles.

– Aucun arbre à feuilles ? s'étonna l'étranger. Frêne, chêne, tilleul, noisetier… Rien ?

– Si, déclara Moï. Dans la vallée où nous passons l'été. Nous en faisons des arcs comme celui-ci.

L'étranger examina l'arme et trancha :

– C'est de l'orme.

Orme ? Le peuple du Centre du Monde n'avait jamais donné de nom à cet arbre que celui « d'arbre à feuilles », et il n'en connaissait aucune autre sorte.

– Les arcs en orme, remarqua l'étranger, ne sont pas bons. Il faut de l'if.

Reuben faisait semblant de ne pas écouter.

– Un bras d'eau ! s'exclama-t-il en tendant le bras.

La conversation en resta là. Le bras
d'eau était trop large pour qu'on
puisse le sauter, et l'idée d'entrer
dans l'eau glacée en soutenant au-
dessus de sa tête vêtements, couverture et sac, ne
séduisait personne. Moï se pencha au-dessus du
ruisseau pour étudier la situation en aval et en
amont. Là-bas, il y avait un tronc penché sur l'eau.
Avec un peu de chance, ils pouvaient passer dessus.
Ils remontèrent le courant.

L'arbre, à moitié déraciné, s'inclinait vers l'autre rive.

– A nous trois, dit l'étranger, on devrait arriver à
le faire pencher suffisamment. Je vais devant, je suis
le plus lourd. Moï, tu me suis, et puis Reuben. Restons groupés, pour peser le plus possible.

– S'il bascule d'un coup, remarqua Reuben en
progressant sur le tronc, on regrettera d'avoir eu la
paresse de se déshabiller.

– Tu imagines toujours le pire, hein ! se moqua
l'étranger.

– C'est mieux, grogna Reuben. S'il arrive, on y est
préparé. S'il n'arrive pas, on est content. On a tout
à y gagner.

– Sauf la sérénité.

– Pas pour moi. Me préparer au pire me rassure.

– Eh bien te voilà doublement rassuré, les racines
n'ont pas l'air de vouloir céder.

– Se pourrait-il que, pour une fois, l'étranger ait raison ? ironisa Reuben en arrivant à son tour au-dessus de la rive.

– N'allons pas jusque-là, répliqua le jeune homme avec un sourire moqueur. Tu peux encore te faire une entorse, te casser la jambe, te faire écharper par des piquants en sautant, te tuer…

– N'y compte pas, tu ne te débarrasseras pas de moi ainsi. Je suis petit mais tenace.

Moï ne s'immisça pas dans l'échange. Visiblement, quelque chose venait de changer dans l'attitude de Reuben. Peut-être à cause des arbres : il ne pouvait pas faire comme s'ils n'existaient pas… Et si c'était vrai, si le dieu avait fait naître des arbres là où autrefois il n'y en avait pas ?

L'étranger sauta souplement à terre et lança à Reuben :

– Passe-moi ton sac.

– Non ! répondit celui-ci un peu trop vite, ça va aller.

Et Moï remarqua que sa main s'était refermée nerveusement sur la courroie. Il ne dit rien et se remit en marche.

– Si je comprends bien, reprit-il, il y a des arbres à aiguilles, des arbres à feuilles, et des arbres nus.

– Tu rêves ! s'esclaffa l'étranger. Les arbres nus sont juste des arbres à feuilles qui ont perdu leurs feuilles.

– Les ormes ne perdent pas leurs feuilles.

– Si, bien sûr, quand le temps devient froid.

– Jamais ! s'écria Reuben. Les ormes ne perdent jamais leurs feuilles.

Moï réfléchit.

– Nous ne séjournons pas dans la vallée des ormes par temps froid, dit-il enfin. Mon père n'y mène le clan que pour cueillir le grain et, ensuite, nous repartons vers la grande steppe. *Quand le dieu vide l'épi, Il met le bison dans la steppe.* Nous ne pouvons pas savoir si, aux temps froids, les arbres se dénudent…

– Se dénuder par temps froid, ce serait une drôle d'idée, ricana Reuben.

– Pourtant, fit remarquer Moï en désignant les squelettes d'arbres, ceux d'ici sont nus.

– Au commencement du monde, souffla Reuben pris d'une inspiration subite, le dieu a créé l'homme, et l'homme était nu. Le dieu, fatigué de souffler le chaud, s'est mis à souffler le froid et l'homme a dû cueillir des feuilles pour se vêtir. Il est possible qu'en mémoire de ce temps, l'arbre perde ses feuilles aux premiers froids.

– Et les pins ? se moqua l'étranger.

– Les pins n'ont que des aiguilles. On ne peut s'en vêtir.

Moï eut un sourire. Reuben avait encore réussi à raccrocher la nouvelle science à l'ancienne.

Le froid… Bien sûr, il y avait des temps chauds et des temps froids, mais le plus souvent le clan ne souffrait ni de l'un ni de l'autre. La grande chaleur s'associait dans son esprit aux baies fraîches, le grand froid au seul gibier. Des arbres avec des feuilles ou des arbres sans feuilles, des rennes ou des bisons dans la steppe, l'eau de la rivière chaude ou glacée, les fourrures dont on se couvrait, les fourrures qu'on ôtait. Au plus chaud, au plus froid correspondait un état différent de la nature. Il y avait des choses à découvrir, des choses à comprendre. Était-ce bien le dieu du volcan, celui qui chaque matin lançait le soleil, qui décidait qu'on entrerait dans un temps chaud, ou dans un temps froid ?… Nephtaïm, tu vas encore me reprocher de douter.

Moï soupira. Nephtaïm. Son visage était fané et les rides de ses mains se creusaient. Sa peau était devenue comme trop grande aux coudes et aux genoux, c'était le signe qu'il était vieux, qu'il retournerait bientôt dans le sein de la terre. C'est ce qu'il lui avait dit avant de le laisser partir : il attendrait son retour, et puis il s'en irait.

Moï pensa avec désespoir au corps du vieil homme recroquevillé dans une fosse de terre, loin du clan. Son cœur se gonfla. Il ne voulait pas que Nephtaïm meure, il ne voulait pas le laisser ! Il se tourna vers l'étranger :

– Tu as dit que vous n'enterriez pas les morts…

– Jamais nous ne les abandonnons. Nous ne sommes pas des barbares.

– Que faites-vous, alors ?

– Nous les emmenons.

– Comment les emmenez-vous ?

L'autre le considéra d'un air surpris.

– Eh bien… nous les mettons dans notre propre corps.

– Ah bon ? De quelle manière ?

– De quelle manière ? Comme tout ce que nous mettons dans notre corps. Par la bouche.

Moï et Reuben se regardèrent, interloqués.

Ils les mangeaient ! Ils mangeaient leurs morts !

8/ Un nouveau regard

– Et c'est nous, les sauvages...,
grinça Reuben entre ses dents.

– Attention, ne le laissez pas filer ! cria
l'étranger.

Moï bondit sur le côté pour couper la
retraite au jeune sanglier, tandis que Reuben se
précipitait vers lui en gesticulant pour l'impressionner. L'animal changea de direction et fonça droit
vers l'endroit où se dissimulait l'étranger. Celui-ci
plongea dessus.

– Je l'ai !

D'un coup sec, il tira sur les deux pattes du même
côté et renversa le sanglier. Puis, pesant dessus de

tout son poids, il lui trancha net la gorge.

Un hurlement de rage les cloua sur place. L'étranger releva vivement son couteau. Une fourche aux dents effilées le menaçait.

Celui qui tenait la fourche était un homme colossal, avec une barbe énorme nouée sur la poitrine. Son regard aurait terrifié le plus brave. L'étranger lâcha son couteau et écarta ses mains pour montrer qu'il ne comptait pas contre-attaquer. Malgré ça, la fourche fit vibrer l'air, et il n'y échappa que par un bond fulgurant. Alors, le colosse saisit son arc et sortit une flèche de son carquois. L'étranger se mit à courir en zigzag, tentant d'éviter les flèches qui pleuvaient autour de lui. Moï et Reuben filèrent à leur tour.

Ils ne s'arrêtèrent, le souffle court, qu'à l'endroit où ils avaient laissé leur sac. Ils n'entendaient plus le sifflement des flèches.

– C'est toi, ricana l'étranger en haletant encore, qui disais que l'homme n'est pas un gibier pour l'homme ?

– Je ne comprends pas… Que s'est-il passé ?

Une voix forte, assourdie par la distance, lança alors :

– Et que jamais je ne vous revoie. Dites-le à ceux de votre clan !

– Un fou, grogna Reuben encore sous le coup de l'émotion. Allons-nous en.

– Et le sanglier ? protesta l'étranger. On ne va quand même pas le lui laisser ! Nous sommes trois et il est seul.

– Il est seul, remarqua Reuben, mais il est plein de haine.

– Je ne comprends pas, répéta Moï. Je vais aller lui parler.

– Ne fais pas ça, s'exclama Reuben, tu y laisserais ta peau !

– Il ne me touchera pas si je suis désarmé. Ne bougez pas d'ici, je reviens.

Moï se glissa entre les arbres. Le colosse était là-bas, qui traînait leur sanglier derrière lui.

– Oh ! L'homme ! cria-t-il. Je viens en paix.

Le géant se retourna tout d'une pièce et leva sa fourche.

– Je vous l'ai déjà dit, retournez d'où vous venez !

Il attrapa la mâchoire d'âne qui pendait à sa ceinture et en menaça clairement le jeune homme.

– Je viens en paix, répéta Moï sans bouger.

– Eh bien retourne en paix, mais vite, et remmène ton clan. Ces terres ne sont pas un terrain de chasse.

– Quel clan ? Nous ne sommes que trois.

Ces mots semblèrent refroidir la colère de l'homme.

– Ce n'est pas une raison, reprit-il. Cette terre est à moi. Filez.

– A vous ? fit Moï, perplexe. Comment pourrait-elle vous appartenir ? La terre est à tous.

– Pas celle-ci.

Reuben et l'étranger s'approchaient avec lenteur, pour ne pas risquer de mettre Moï en danger. L'homme paraissait maintenant plus sec qu'agressif. Il jeta à peine un regard aux deux jeunes qui l'observaient à travers les branches, et grogna :

– Évidemment, vous êtes du peuple des chasseurs.

– Il n'y a pas d'autres peuples que les peuples de chasseurs.

– Il y a moi. Ces terres sont à moi. Si vous chassez mon gibier, si vous cueillez mon grain, je vous tue.

La stupeur se lut sur le visage des trois voyageurs.

– Je ne comprends pas, intervint Moï. Le gibier ne manque pas et, s'il s'éloigne, il suffit de le suivre. Quand on a mangé tout le grain, on cherche plus loin. Le monde est vaste, et l'homme a des jambes pour l'arpenter, des épaules pour porter les peaux qui feront sa maison et des sacs pour ranger ses silex.

L'homme désigna son mollet, puis se mit à marcher. Et les jeunes gens virent qu'une de ses jambes restait raide.

– Je ne peux plus suivre la piste des rennes, expliqua-t-il.

– Votre clan…

– Il est parti et m'a laissé là.

– Comme si…

– Exactement. Et, comme vous le voyez, je ne suis pas mort.

– Vous demeurez toujours ici ?

– Toujours. Et si d'autres chassent, cueillent ou pêchent sur ma terre, ils m'ôtent la nourriture de la bouche.

– La vie est dure si on ne peut se déplacer, reconnut Moï. Le clan doit marcher, sinon il finit par manquer de tout.

– C'est vrai pour le clan, acquiesça le géant en se radoucissant, pas forcément pour un homme seul. Ici, il y a juste assez de grain pour moi. Le gibier, qui n'aime guère l'odeur humaine, s'éloigne de plus en plus de ma maison. Et puis, il faut écarter sans cesse les chasseurs, ceux qui vous tuent vos sangliers.

Il avait appuyé sur les derniers mots en fixant l'étranger.

– Nous pouvons partager le sanglier, proposa celui-ci.

L'homme poussa un grognement et lâcha la bête.

– Après tout, dit-il, c'est toi qui l'as tué, porte-le.

Sur ces mots, il tourna les talons en leur faisant signe de le suivre. Ses cheveux étaient noués dans son dos comme sa barbe sur sa poitrine, et ses vêtements semblaient cousus dans le plus grand désordre, alliant des fourrures de castor à des peaux de lapins et à du cuir de bison. Ici et là, pendaient des queues d'écureuils. Plutôt grotesque.

L'endroit était étonnant. Une étrange habitation tout en bois se tenait au-dessus d'une vaste mare. Elle était perchée sur des pieds qui s'enfonçaient dans la vase. Dessous, pendaient de grands paniers coniques à claire-voie.

– Je m'appelle Hurt, dit l'homme en arrachant le sanglier des mains de l'étranger.

Il traîna le corps de l'animal, le souleva par les pattes arrière et l'accrocha à un jeune arbre, qui plia sous le poids. Puis, curieusement, il donna un coup de pied à l'arbre.

– Je suis du peuple de l'Ours, se présenta l'étranger.

– Je suis Moï. Celui-ci est Reuben. Nous appartenons au peuple du Centre du Monde.

L'homme ricana.

– Centre du monde ? Le centre du monde est ici.

– Pas du tout, protesta Reuben. Nous, nous vivons près de la bouche du dieu.

– Le centre du monde est ici, et ici vit le dieu. Je le sais.

Un moment, désarçonné, Reuben eut peur que l'homme ne fût un sorcier plus puissant que lui, ou même que son père.

– Un dieu vit dans la forêt ? s'inquiéta-t-il.

– Pas dans la forêt, ignorant : dans le fleuve. Le fleuve qui partage le monde en deux.

Il tendit le doigt, et les jeunes gens s'aperçurent que le fleuve qu'ils cherchaient était là ! L'endroit où se trouvait l'habitation de l'homme, et qu'ils avaient pris pour une mare, en était un bras. Hurt baissa la voix :

– Là-bas, de l'autre côté, c'est l'Autre Monde. Il est peuplé d'hommes très petits, avec des dents qui leur arrivent jusqu'aux épaules et qui peuvent vous trancher net le cou. Leurs cheveux sont comme des piquants vénéneux, un simple frôlement suffit à vous tuer. Ils parlent un langage que nul ne comprend. Mais le dieu se dresse entre eux et moi, et il me défend. Lorsque les êtres maléfiques essaient de passer le fleuve pour venir m'égorger, il gonfle le dos, l'eau monte, monte, s'étend et noie tous les monstres… Hélas, bientôt, ils renaissent de la vase, et tout recommence.

Reuben jeta autour de lui un regard apeuré. Moï et lui étaient donc passés dans un monde singulier, sans rapport avec le leur. Possédait-il encore des pouvoirs, lui, dans ce monde inconnu ?

– Le fleuve ne noie pas les hommes ? demanda-t-il.

Moï regardait vers l'eau avec attention. S'il y avait un dieu dans le fleuve, il avait pu en changer le cours, voilà pourquoi ils ne l'avaient pas rencontré au troisième jour.

– Les hommes sont plus grands, répondit Hurt. Et puis, le dieu me prévient.

– Comment ? s'intéressa Moï.

– Il met de jeunes feuilles aux arbres. Quand je les vois, je sais qu'il me faut rester sur mes gardes. Je m'installe là-haut, dans ma maison au-dessus de l'eau, et j'attends.

– Vous attendez longtemps ?

– Parfois oui, parfois non. J'ai mes hameçons. Du bois de cerf. Car si le cerf est mauvais pour les harpons, il est bon pour les hameçons. L'eau monte et, comme les eaux de ce bras du fleuve sont plus calmes, les poissons viennent y manger. Je pêche. Et puis, les escargots grimpent sur les pilotis. C'est le dieu qui me les envoie. Nous nous les partageons.

– Vous les partagez avec le dieu ?

L'homme éclata de rire, émit un sifflement strident et leva la tête. Un museau apparut à la porte de la maison.

– Ils ne sont que trois, expliqua-t-il à l'animal.

– C'est un loup ? demanda Moï.

– C'est un chien. C'est lui qui vous a vus et m'a prévenu.

Les trois voyageurs saluèrent le chien.

– Nous chassons ensemble, dit Hurt. Mon clan est loin, sa meute est loin. Quand je suis resté, plusieurs chiens se sont proposés de rester aussi. Mais plusieurs, c'était impossible, car l'homme et le chien se nourrissent du même gibier.

Hurt se pencha vers un foyer qui était entouré de pierres sur trois côtés. Une dalle, sur le dessus, le protégeait de la neige... Du moins, c'est ce qu'ils crurent d'abord, jusqu'à ce que l'homme la soulève et la renverse sur le sol. Sortant alors de son sac des œufs qu'il avait récoltés, il les cassa sur la pierre chaude.

Aussitôt, le chien sauta de la plate-forme pour s'approcher des nouveaux venus et s'assurer de leur odeur. Tour à tour, les garçons lui posèrent la main sur la tête. Un chien qui vivait loin de sa meute, un homme qui vivait loin de son clan, ils ne l'avaient jamais vu.

– Vous avez dit, observa Moï, que quand le fleuve se gonfle les arbres mettent des feuilles.

– C'est ainsi que le dieu prévient.

– Est-ce qu'en même temps il fait plus chaud ?

– Ma foi… souvent j'enlève ma veste pour pêcher.

– Vous avez de la chance, intervint Reuben qui ne voyait pas où Moï voulait en venir, d'être prévenu par les feuilles. Chez nous, le volcan gronde et crache le feu sans jamais nous avertir.

– Quelque chose crache le feu ? s'effraya l'homme.

– Le dieu, laissa tomber Reuben avec condescendance. Je vous l'ai dit : nous habitons le Centre du Monde, près de sa bouche.

Il respira mieux. Cet homme n'était pas un grand sorcier, juste un grand ignorant. Moï ne semblait pas encore l'avoir compris, car il s'informa :

– Est-ce que le fleuve écoute la lune ?

– La lune va son chemin, le fleuve le sien. Maintes fois elle passe et repasse, claire ou sombre, sans que le fleuve ne bouge. Et puis un jour, il se gonfle…

L'homme fit signe aux garçons de se servir d'un œuf avant qu'il ne soit trop dur, et leur montra comment le rouler sur lui-même pour le manger aisément. Tout en mordant dans le sien, il observait Moï.

– Je sais des choses… lâcha-t-il enfin.

La réaction fut celle qu'il avait prévue :

– Quelles choses ?

– Je vais tout d'abord te donner une leçon, garçon. Ton visage reflète trop l'intérêt que tu portes à ce que je pourrais t'apprendre. Donc je réfléchis : pourquoi donner ? Je vais plutôt échanger.

– Échanger quoi ?

– Échanger mon expérience contre la tienne. Je te dis ce que je sais du monde et toi, tu m'apprends comment tu tailles tes pointes de flèches en silex, car je n'en ai jamais vu de pareilles.

Reuben fit un signe des yeux à Moï pour lui signifier qu'il n'avait pas à divulguer leurs secrets et rappela :

– Notre clan est apparenté au clan du Silex. Nephtaïm, père du père de Moï, est le Grand Maître du silex. C'est lui qui sait, c'est lui qui enseigne. Personne d'autre.

– *Tu peux donner ce qui ne t'enlève rien*, observa Moï.

– Ce qui m'intrigue, intervint Hurt sans égard pour leur dissension, c'est la façon dont tes pointes sont emmanchées sur le bois.

Moï sortit de son sac un rognon de silex dégrossi et, sans regarder Reuben, expliqua :

– Tout est dans la taille. Il faut commencer par enlever quelques lamelles délicatement en frappant ici avec le bois de cerf, comme pour n'importe quelle flèche. Quand on voit le cœur du silex, on tape d'un coup là-haut, mais au lieu de frapper en biais dans ce sens, on frappe en biais dans l'autre. Ça enlève une lame étroite, coupante d'un côté, plus épaisse du côté opposé. C'est ce côté qu'on va travailler au bois de cerf. On rogne tout autour, comme ça, jusqu'à obtenir une taille idéale pour l'emmancher dans le bout de la baguette de bois, et on colle avec de la résine.

Hurt ne fit pas de commentaire. Le front soucieux, les yeux attentifs, il refaisait dans le vide les gestes que Moï venait de lui montrer. Enfin il remit une pierre à chauffer et dit :

– En échange, je partage ce que j'ai vu, et que personne dans mon clan n'avait jamais vu. Je sais à quel moment le dieu du fleuve va se fâcher, et je sais même à quel moment il va me prévenir qu'il va se fâcher.

– Comment ?

– Grâce à cet arbre. Pendant longtemps, il fait de l'ombre à ma maison, parce que le soleil est bas sur l'horizon. Ensuite, le soleil remonte et les ombres raccourcissent. Je ne le remarque pas vraiment, mais un jour, l'arbre ne fait plus d'ombre à ma maison. Alors, il commence à mettre des feuilles et le fleuve grossit.

– Les ombres longues… Elles raccourcissent, le soleil est plus haut, il fait plus chaud, dit Moï d'un air songeur.

– Le soleil est parfois haut, parfois bas, intervint Reuben, selon comment le dieu le lance.

– A un moment, précisa l'homme sans s'occuper de Ruben, les ombres se mettent à rallonger, et ça recommence.

– Ça recommence… Vous voulez dire que c'est un cycle ?

– Un cycle, ricana Reuben. Le chaud et le froid, c'est le dieu qui décide !

Mais Moï poursuivait son idée :

– La lune a bien un cycle régulier, pourquoi le soleil n'en aurait-il pas un ? Il passerait bas, ou haut, nous chaufferait plus, ou moins.

– Comment peux-tu dire une chose pareille ? s'emporta Reuben. La lune est l'œil du dieu, elle transporte les âmes régulièrement parce qu'il y a des morts régulièrement. Le soleil, lui, est lancé par le dieu, à sa guise. Rappelle-toi que parfois il fait chaud et nous enlevons nos pelisses, et que, deux jours après, il fait froid, et nous les remettons.

– Il y a tout de même de grands temps chauds et de grands temps froids, non ?

– Un cycle, lâcha pensivement Hurt en se grattant la barbe. Ça me donne une idée. Je vais marquer d'un trait l'endroit où l'ombre arrive, chaque jour, sur ma maison. Je verrai bien quand elle rallonge et quand elle raccourcit, et combien de temps ça dure.

– Les arbres grandissent, fit remarquer l'étranger. Ça pourrait te tromper.

– Alors je planterai en terre une grosse pierre, très haute.

– Enfin, protesta Reuben, tu disais tout de suite que c'était le dieu du fleuve qui organisait ça.

L'homme considéra un moment Reuben avec hésitation.

– Eh bien, intervint Moï en posant sa main sur le bras de son ami, Hurt saura si le dieu le fait régulièrement.

Le visage du jeune sorcier se ferma.

Ils cassèrent encore quelques œufs sur les pierres chaudes, et mangèrent en silence.

– Il fait nuit, déclara enfin Hurt en se levant. Vous ne pouvez pas dormir ici, le sol est trop humide. Montez dans ma maison.

Il se leva, envoya un violent coup de pied à l'arbre dans lequel pendait toujours le sanglier et ajouta :

– Demain, vous partirez.

– Nous partirons de toute façon, acquiesça Moï. Au lever du soleil.

– Pour aller où ?

Moï surprit le regard de l'étranger.

– Au bout de la terre, dit-il enfin.

9/ Boloch

Comment pouvait-on vivre juste à deux, un homme et un chien ? Moï n'imaginait pas sa vie sans son clan, sans Delphéa. Autrefois, quand il pensait à elle, c'était avec au cœur une grande douceur mais, depuis qu'il avait quitté le Centre du Monde, il ne ressentait plus que de l'angoisse. Elle l'attendrait... Seulement, s'il revenait sans la Cyprée, il ne serait plus digne d'elle. Elle voudrait malgré tout s'unir à lui, il en était persuadé, mais lui ne pourrait l'accepter. Il se refusait à lui imposer une vie de honte. Il lui rendrait sa liberté. Elle épouserait Cob.

Cette idée lui tordit le cœur. Il ne se faisait aucune illusion. Cob couvait Delphéa des yeux depuis des années et, s'il ne revenait pas de sa quête, c'est ainsi que les choses se passeraient. Il fallait qu'il réussisse.

Pourquoi se sentait-il si mal ? Il percevait devant lui comme un trou noir. Smaël et le clan avaient beau l'aider de toute la force de leur pensée, il n'avait que d'horribles pressentiments. Il n'avait peut-être pas été choisi par le dieu et, contre ça, on ne pouvait rien. S'il échouait, il ne rentrerait pas, il l'avait décidé. Et Reuben l'avait décidé aussi, il le savait.

Allongé sur l'inconfortable couche à peine recouverte de mousse, Reuben guettait avec crainte le clapotis de l'eau, au-dessous d'eux. Il tremblait que l'étrange plancher de branches irrégulières ne s'effondre et ne les précipite dans la grande nappe d'eau verte, au milieu des paniers à claire-voie. Hurt n'avait pas dit pourquoi les paniers étaient là. Ils servaient sans doute à capturer ces êtres maléfiques à la chevelure de piquants vénéneux, et dont les dents immenses vous tranchaient le cou comme un rien.

Et le dieu ?

Non, il n'y avait pas de dieu dans le fleuve. Il n'y avait qu'un seul dieu. Le dieu-qui-parle-par-le-volcan. Il se retourna sur sa couche et, d'un bond, s'assit en hurlant. Quelque chose venait de lui tomber dessus.

– Qu'est-ce qui se passe ?

Reuben ne pouvait parler. C'était un signe du ciel. Juste comme il refusait de croire au dieu du fleuve…

– C'est la fouëne qui est tombée, grogna Hurt. Inutile de hurler pour cela, tu vas réveiller les esprits.

– Où… où sont les esprits ? Dans la fouëne ?

– Dans la fouëne ? Quelle sottise ! Les esprits habitent dans les arbres.

Reuben se reprit. Il avait honte de s'être laissé influencer par ce sauvage. Les ancêtres connaissaient le monde, et ils n'avaient jamais parlé d'esprits dans les arbres. Pas plus que de dieu du fleuve ou d'ailleurs.

– Ils s'accrochent aux branches, poursuivit Hurt en chuchotant, et sucent le sang de l'arbre. Ils se font beaux pour t'attirer, feuilles toujours vertes et jolies boules blanches. Cependant, si tu portes les fruits à ta bouche, l'esprit se glisse en toi et tu meurs.

Moï se redressa sur le coude :

– C'est pour cela que tu donnes des coups de pieds aux arbres ?

Hurt bougonna :

– Je ne donne pas de coups de pieds aux arbres, je donne des coups de pieds à l'Arbre.

– A un seul arbre ?

– A Boloch.

Moï se demandait si un boloch était une variété d'arbre à aiguilles ou à feuilles, quand Hurt ajouta :

– Il a eu ce qu'il méritait, celui-là.

– Qu'est-ce qu'il a fait, votre boloch ? demanda Moï.

Reuben se replia sur lui-même, avec une envie folle de se boucher les oreilles. Souvent, les histoires l'impressionnaient ; ensuite, il rêvait, et cela perturbait ses véritables visions.

– Quand mon clan m'a laissé, commença Hurt, j'étais terriblement blessé. Un sanglier m'avait déchiré la jambe et brisé le genou. Le clan doit avancer, il ne peut se charger d'un fardeau. Alors le mien a décidé de me laisser là pour que je meure tranquillement. Seulement j'étais jeune, et les femmes ont dit que je pouvais survivre. Le Conseil les a autorisées à me faire un pansement et à fixer deux branches de chaque côté de ma jambe. Les hommes ont capturé un cheval, l'ont vidé de ses entrailles et l'ont bourré de cailloux, et puis ils l'ont tiré au milieu du bras mort du fleuve pour le mettre à l'abri des car- nassiers. Le chien est resté avec moi.

Si j'ai survécu, c'est bien grâce à lui. Plusieurs fois par jour, il léchait ma blessure. La langue d'un chien est le meilleur remède. Et c'est lui encore qui se chargeait de nager jusqu'au cheval pour me rapporter de la viande. Quand le cheval a été entièrement mangé, j'arrivais tout juste à me tenir debout, sans plus. Alors le chien est parti en chasse. Mais, seul, il lui était difficile de prendre du gibier. Un lapin parfois, ou un oiseau. Et un jour, pour la première fois, les eaux du fleuve ont monté. Elles ont monté tant et tant que j'ai été obligé de me réfugier sur la colline. Un renne mâle et trois femelles avaient réussi à y prendre pied.

– Il y a donc encore des rennes, ici ? fit Moï avec espoir.

– Il y en avait, grogna Hurt. Je n'en ai jamais revu depuis. En tout cas, ceux-là étaient là, enfermés avec le chien et moi, enfermés par les eaux. Je me suis dit qu'il faudrait qu'ils restent là, toujours. J'avais sur moi un tranchet de silex. Je l'ai emmanché dans une branche fourchue et je me suis mis à abattre les arbres autour de moi. Je suis arrivé à dégager presque tout l'espace qui se trouvait hors d'eau. J'ai fixé les troncs coupés entre les arbres restants. Cela m'a pris des jours et des jours. Par chance, les eaux ne baissaient pas. Et les rennes se sont trouvés prisonniers. Ce fut le début de mon élevage.

– Qu'est-ce qu'un élevage ?

– Les rennes ont des petits. On en mange un ou deux, les autres grandissent, et ils ont à leur tour des petits… et on n'a plus besoin de courir après la nourriture.

– Et votre boloch ? demanda l'étranger.

– Attendez, je n'en suis pas arrivé là. Le temps a passé. Le fleuve plusieurs fois avait monté et baissé. J'avais repéré un champ de grain pas loin d'ici et je vivais bien : du grain, du renne, des poissons que je prenais dans les nasses, sous la maison.

– Les grands paniers ? s'enquit Reuben. C'est pour… attraper le poisson ?

– Tout juste. Donc, j'étais bien organisé. C'est alors qu'ils sont arrivés. Un clan que je ne connaissais pas. Ils chassaient. Quand ils ont vu mes bêtes, ils ont voulu les égorger, rendez-vous compte ! Ils prétendaient que les rennes appartenaient à tous, que je n'avais aucun droit de les garder. Mon sang en bouillonne encore. Je me suis battu, mais ils m'ont attaché à un arbre. Ils ont dépecé trois de mes bêtes et ont relâché les autres. Et puis ils ont mangé. Ils étaient là, en cercle, dans la nuit, à dévorer mon bien sous mon nez. Le chien est venu. Il a rongé mes liens. Alors j'ai saisi ma hache et je l'ai lancée dans le dos du chef. Il est tombé en avant. J'ai repris aussitôt ma position, comme si j'étais toujours attaché.

– Vous avez tué un homme ! souffla Reuben sidéré.

– Ces rennes étaient à moi.

– Vous avez tué un homme…

– Ils ne l'ont pas su. Je leur ai dit que c'était le dieu du fleuve qui avait fait cela, de même qu'il m'avait autrefois blessé à la jambe pour avoir poursuivi un sanglier. Ils ont pris peur et sont partis.

– Et alors ?

– Le chef s'appelait Boloch. Je l'ai enterré de mes mains, tout de suite, pour que son âme n'ait pas le temps de s'échapper. Je n'ai déposé aucune arme dans sa tombe, ni couteau ni coup de poing, mais j'y ai mis trois glands pour lui porter malheur.

Hurt laissa planer un moment de silence avant de finir :

– Son âme n'a jamais pu s'échapper, elle est toujours enfermée dans la terre avec son corps, dans un état inférieur.

– Quel état inférieur ? souffla Moï.

L'homme baissa la voix :

– Boloch a repris vie sous forme d'arbre. Et chaque matin, et chaque soir, je lui donne un coup de pied.

10/ Les cicatrices du ciel

Ils repartirent au petit matin, sans le sanglier. Ils n'osèrent plus en parler. Et, pourtant, Hurt ne le mangerait pas. Car cet homme allait mourir, Reuben voyait la vie s'en aller de lui.

Cinquième jour, et rien n'était comme disait la Parole sacrée. Des arbres hauts et forts, des buissons piquants, de longues tiges de jonc. Seul, le fleuve était là, mais était-ce le bon fleuve ? Il paraissait trop large.

Ils écoutèrent la voix du dieu. Ils suivirent le rhombe. Ils marchèrent.

Ils marchèrent le long du fleuve. Le sol était difficile, marécageux. Il fallait garder le pas. Ils évitaient de parler.

Plus petit que les deux autres, Reuben souffrait davantage du rythme imposé, des chausse-trappes ouvertes sous ses pieds par les trous d'eau. Il était fatigué et soucieux. Ce voyage ne lui plaisait pas, il s'y sentait mal, indécis. Or un sorcier doit être fort et sûr de lui, c'est à cette seule condition qu'il peut aider son peuple. Le sorcier est celui qui dit le vrai.

Seulement le vrai lui échappait. A cause de toutes ces histoires auxquelles Moï semblait croire, il commençait à douter. Un sorcier qui doute n'est plus rien. Pourrait-il, un jour, prendre la succession de son père ? Ce voyage était en train de le détruire. D'ailleurs, il n'avait eu aucune vision depuis les deux rennes. Sa présence n'arrivait même plus à aider Moï.

De toute façon Moï s'intéressait à tous sauf à lui, écoutait les avis de tous, sauf le sien. Celui de Hurt, celui de l'étranger. Lui, pouvait bien dire ce qu'il voulait : sa parole se perdait dans le vent. Trois est plus fort que deux, mais trois peut détruire deux. Et lui était en train de devenir le Trois. Il pourrait tomber dans un trou, être enlevé par des esprits mauvais, personne ne s'en apercevrait.

– Tu traînes, Reuben ! appela Moï.
Le rythme est le rythme.

– Je sais. Ne t'occupe pas de moi.

Pour le coup, Moï se retourna :

– Comment, ne pas m'occuper de toi ? Je compte sur toi, toi seul peux m'aider. Tu ne vas pas me laisser tomber, Reuben ! Je sais que c'est difficile, mais...

– Ne t'inquiète pas, souffla Reuben. Je suis avec toi.

Il adressa à Moï un sourire complice. Le ciel s'éclaircissait.

Reuben avançait prudemment, en lançant sur le fleuve des regards pleins de méfiance, en surveillant sans cesse le niveau de l'eau. Il pria le dieu du volcan de les aider, puis invoqua à tout hasard, avec un peu de honte, le dieu du fleuve, pour le prier de les laisser aller en paix. Tout arbre lui paraissait maintenant ennemi.

– Dis-moi, demanda-t-il soudain à l'étranger, chez toi il y a beaucoup d'arbres, n'est-ce pas ? Le malheur de ton peuple vient peut-être de là. Les âmes de vos ancêtres y sont peut-être enfermées.

– Ridicule ! s'exclama le jeune homme. Je n'en ai rien dit pour ne pas froisser Hurt, mais ce n'est pas l'âme qui est sortie de la tombe de Boloch. C'est un gland qui a germé.

— Comment…, souffla Reuben, choqué. Tu ne crois donc à rien !

— Ce n'est pas l'âme ? s'intéressa Moï.

Reuben serra les dents de colère. La crédulité du fils de Bogdan était effrayante. Il écoutait d'un air captivé les sottises que débitait l'étranger sur une histoire invraisemblable de chênes qui naissent d'un gland, gland qui pousse lui-même sur un chêne, alors que chacun savait…

— Le dieu qui est sous terre, éclata-t-il, fait pousser l'arbre de son souffle.

L'étranger haussa les épaules. Moï avait les yeux brillants comme à chaque fois qu'une nouvelle idée naissait dans son esprit, et il déclara :

— Pourquoi le dieu ne donnerait-il pas vie à l'arbre à partir de son fruit, Reuben ?

— Naturellement, crois-le ! L'étranger sait tout. L'étranger ne doute de rien. L'étranger possède la vérité, et pourtant son peuple est dans le malheur.

L'étranger s'arrêta et se retourna.

— Les âmes des ancêtres courent dans le vent, dit-il, se glissent dans les femmes pendant leur sommeil et renaissent sous forme humaine. Uniquement humaine. Si elles restaient emprisonnées dans les arbres, nous n'aurions pas ces problèmes.

— Le dieu-qui-parle-par-le-volcan…, reprit Reuben en tentant de donner à sa voix une grande force.

Il poussa un cri. Ses cheveux venaient de se coincer dans une branche. En une fraction de seconde, il songea qu'il était puni pour la pensée qu'il venait d'avoir… Non! C'était impossible puisqu'il ne faisait que dire sa foi dans le dieu.

– Ne bouge pas, conseilla Moï, je n'arrive à rien.

– Vous portez les cheveux trop longs, observa l'étranger, trop longs pour un pays d'arbres.

– Il ne devrait pas y avoir d'arbres! hurla Reuben.

– Il veut dire, expliqua Moï pour éviter que le ton ne monte, que la Parole sacrée ne mentionne pas ces arbres.

L'étranger haussa de nouveau les épaules. Cette Parole sacrée lui semblait aussi bizarre que toutes les autres croyances de ces deux garçons. Toutefois, il espérait qu'ils seraient assez intelligents pour reconnaître leur erreur quand ils arriveraient avec lui à la frontière du ciel. Peut-être alors l'accompagneraient-ils de l'autre côté?

Reuben fut enfin libéré. Il laissa une touffe de cheveux et tout ce qui lui restait d'humour entre les branches. L'étranger le perçut-il? Pour la première fois, il sembla s'intéresser à lui et interrogea :

– Tous les membres de votre clan portent-ils les cheveux longs ?

– Le dieu nous a créés ainsi, répliqua Reuben, nous demeurons ainsi.

L'étranger ne fit pas de commentaire et chercha un autre sujet.

– Vous êtes nombreux, dans votre clan ?

– Plus que nous avons de doigts à nous trois, bougonna Reuben, en comptant ceux des mains et des pieds.

– C'est beaucoup. Chez nous, il y a deux anciens, puis six femmes et quatre hommes, et encore cinq garçons et trois filles. Nous avons de moins en moins de nourrissons, et deux ne sont pas sains.

Reuben pâlit soudain.

– Moï, Moï…

– Ne t'arrête pas, Reuben. Dis ce que tu vois, mais ne t'arrête pas.

– Je sens le ciel sur nous, je sens sa menace.

Moï leva la tête.

– Je ne vois rien.

– Que veut-il dire ? s'étonna l'étranger.

– Un orage arrive. Reuben ne se trompe jamais.

– Un orage ?

L'étranger se frappa trois fois la poitrine, et porta sa main à son front.

– Que le dieu du ciel nous épargne ! souffla-t-il.

Ce n'est que vers le soir que les premiers éclairs fendirent le ciel. La
voûte du ciel ne s'était jamais entièrement refermée et, chaque fois que
le ciel s'agitait, ses cicatrices se rouvraient et s'éclai-
raient dans un hurlement de douleur. Majda disait
que c'était pour qu'ils se souviennent de leur histoire et de la fin des ténèbres. Ils continuèrent leur
chemin en implorant tout haut le dieu pour que les
blessures ne se rouvrent pas. Si elles se déchiraient,
le feu qui brûlait de l'autre côté pouvait tomber sur
la terre et l'anéantir. En ne s'arrêtant pas, ils montraient leur courage, ils montraient qu'ils étaient
dignes de leur quête.

Le ciel était sombre et effrayant, la pluie leur battait le dos, leur collait les cheveux sur le visage, gla-
çait leurs mains. Ils grelottaient.

Ils ne surent pas à quel moment le soleil s'était
couché. Ils s'arrêtèrent quand ils virent la lune se
refléter sur les marécages. C'est alors seulement
qu'ils s'aperçurent qu'il faisait nuit, que le ciel
s'était un peu dégagé, et qu'ils pataugeaient dans
la vase.

– Nous sommes perdus, balbutia Reuben. Nous
avons passé une falaise, le texte ne parle pas de
falaise. Nous avons continué à longer le fleuve, il
ne fallait pas. Nous aurions dû rencontrer un grand

rocher, avec un bison gravé. Avec l'orage, nous avons tout oublié. Le dieu voulait peut-être nous faire oublier.

– Un fleuve au cinquième jour, dit Moï, et qui ne ressemble pas à celui de la Parole… Pourquoi y aurait-il eu un rocher ? Le monde a changé, Reuben. Nous avons fait tout ce que disait la Parole et rien n'est pareil.

– Vous vous alarmez pour bien peu, observa l'étranger. Un fleuve grossit ou diminue, vous avez entendu Hurt. Les arbres peuvent pousser, grandir, se ressemer. Le monde a changé, mais il est toujours le monde.

– Tu as raison, acquiesça Moï en reprenant espoir. Notons tous les détails dans notre tête pour décrire le nouveau chemin. Ce qui est important, c'est de marcher vers l'endroit où le soleil se couche. Puisqu'il se couche dans la mer, nous trouverons forcément la mer. Il nous reste cinq jours à marcher, et nous arriverons.

Reuben lui lança un regard surpris. Y croyait-il vraiment ? Lui se sentait mal, si mal. Moï ne trouverait pas ce qu'il allait chercher, il ne trouverait pas… Le désespoir l'envahit.

– Retournons à la falaise, proposa l'étranger. J'y ai vu un creux. Nous y passerons la nuit.

Ils se réveillèrent trempés et grelot-
tants. Ils n'avaient rien mangé, pas
pu allumer de feu, car ils n'avaient
ni bois, ni os à faire brûler. Ils
mâchèrent l'herbe dure du marais pour apaiser leur
faim. Leur abri, juste un creux sous la roche, était
tapissé d'empreintes de mains. Il gardait aussi des
traces de feu, quelques silex abandonnés et un os
de renne portant des dessins en chevrons. Sur le
bord du foyer restait un petit tas d'ocre, d'un bel
orangé typique d'une argile à peine chauffée. Les
visiteurs qui les avaient précédés avaient écrasé
cette argile couleur de vie et l'avaient utilisée pour
laisser leur empreinte. Ils feraient de même, mar-
queraient leur passage, et leur trace demeurerait
éternelle.

Dans les premières lueurs de l'aube, Moï creusa
un petit trou dans le sol pour y mélanger l'ocre et
l'eau. L'étranger coupa dans un roseau un tube
court et aspira le mélange jusqu'à emplir le tube.
Reuben posa sa main sur la paroi, et l'étranger
souffla dessus le mélange d'ocre. Puis Moï fit de
même. Sur la roche, deux mains se découpaient,
claires sur fond orangé.

L'étranger, lui, refusa de laisser son empreinte, de
peur que quelqu'un puisse s'en servir pour avoir
prise sur lui. Moï et Reuben n'insistèrent pas.

En attendant le lever du soleil, à la fois curieux et effrayés, ils scrutèrent l'autre côté du fleuve pour tenter d'apercevoir les êtres maléfiques dont leur avait parlé Hurt. Moï joua un court morceau de flûte, car la voix des ancêtres éloignait les esprits malfaisants. Puis, quand le premier rayon éclaira l'horizon, ils se remirent dans l'oreille le rythme du rhombe et quittèrent le fleuve.

Tout en marchant, Reuben tressait une corde avec des herbes qu'il avait ramassées dans le marécage. Il s'appliquait à faire ses nœuds toujours dans le sens favorable, pour ne pas risquer d'attirer le mauvais sort. C'est alors qu'il songea au fleuve. Quand il avait osé penser qu'un dieu vivait peut-être dedans, une fouëne lui était tombée dessus. La fouëne sert à pêcher la truite. La truite vit dans la rivière. Cela signifiait-il que le dieu du fleuve existait ?

Il ferma les yeux. Il se sentait si indécis. La vérité…

La vérité était que le dieu du volcan l'avait créé, lui et les siens. S'il existait un dieu du fleuve, et que le dieu du fleuve avait lui aussi créé des humains, il devait être honoré par ces humains.

Pourtant, Majda ne parlait que d'un seul dieu, et c'est ce dieu qui avait créé la seule femme.

Il rouvrit les yeux et son regard tomba sur les herbes, dans sa main. Le dernier nœud qu'il avait fait était à l'envers…

Vers le soir, ils virent avec effroi que la lune était voilée de sang. Ils creusèrent la terre de leurs mains nues, couvrirent le trou de branches et de mousse, et s'y enfouirent en cachant leurs yeux de leurs mains crispées.

11/ Mauvaise surprise

L'odeur de la viande qui séchait leur signala le campement. Un campement lointain, et pas dans la direction qu'ils suivaient. Tant mieux. Rencontrer des hommes leur aurait réchauffé le cœur, mais ils ne pouvaient se permettre de s'arrêter.

Ils avaient fait huit encoches sur leur bâton, ils marchaient depuis huit jours, du lever au coucher du soleil, et sans fatigue. Or, la Parole sacrée disait d'avancer « malgré la fatigue ».

Deux nuits avant, ils avaient dormi dans la terreur et le froid, avec l'œil roux du dieu qui guettait. La nuit précédente avait été chaude et douce, dans la paix rassurante d'une meute de loups qui remontait vers le nord. Le chef de la meute leur avait offert de partager l'aurochs qu'ils avaient piégé dans les marais. Par respect pour leurs hôtes, ils avaient renoncé à allumer du feu et avaient mangé la viande sans la cuire, puis ils s'étaient couchés entre les chauds pelages et avaient passé la nuit la plus paisible de leur voyage.

Au petit matin, quand l'oiseau siffleur avait annoncé que le jour pointait, ils avaient salué la meute et s'étaient éloignés, emportant la viande qui restait. Même si celle-ci pesait dans leur dos, ils étaient au moins assurés de manger pendant deux jours. Deux jours d'aurochs un peu dur et élastique, mais délicieux au goût. Cela valait la peine de se charger.

L'homme tuait l'aurochs et il était l'ami du loup… L'homme était l'ami du loup, du chien, de l'ours ; il chassait l'aurochs, le lièvre, le renne, le sanglier. Le monde des animaux se divisait donc en deux. Comment cela s'était-il produit ?

Le chasseur est l'ami du chasseur. Cob ricanait : « Le chasseur est l'ami du chasseur, parce qu'il ne peut se permettre d'être son ennemi. » Cob avait le goût du sarcasme, mais il voyait peut-être les choses telles qu'elles étaient.

Non, non. Il était bon d'avoir des
amis, mauvais d'avoir des ennemis.
« Si tu as un ennemi, disait Nephtaïm,
ni ta rancœur ni ton hostilité ne le
blesseront. C'est toi qu'elles pourriront. Si tu deviens
l'ennemi d'un autre, tu deviens ton propre ennemi. »

Moï n'eut pas le temps de comprendre. Tout s'effaça, et ses yeux se rouvrirent sur quatre murs de terre, dans la vibration grave d'une corde.

– Nous sommes tombés dans un piège, grommela Reuben, près de lui, en se frottant l'épaule.

Un piège ! Moï fronça les sourcils. Il marchait devant, il aurait dû déceler une fosse aussi grande, même bien dissimulée, une fosse assez large pour qu'ils y soient tombés tous les deux. Au moins, il aurait dû voir la corde fixée à une des branches bouchant le trou, celle que leur chute avait libérée et dont la vibration annonçait aux chasseurs la prise du gibier. Drôle de gibier.

– Ça va ? s'inquiéta l'étranger en se penchant au-dessus du trou.

Alors seulement, Moï perçut la douleur dans sa cheville.

– Je n'ai jamais vu un piège aussi profond, s'extasia l'étranger d'un ton moqueur. Il y a au moins de quoi prendre un cerf. (Ses yeux firent le tour de la fosse.) Vous êtes bien, là. Les chasseurs vont être contents !

Ils vont devoir vous manger à la place du cerf.

– C'est bien le moment de plaisanter, grogna Moï. Aide-nous à sortir.

Surpris par son ton, Reuben l'observa à la dérobée. La crispation de son visage, le mouvement de sa main sur sa cheville…

– Tu es blessé ? demanda-t-il avec inquiétude.

Moï se redressa, posa son pied sur le sol… Il dut s'accrocher à la paroi. Il était devenu livide.

– Moï, fit Reuben effrayé par ce que signifierait une blessure.

– Ne… t'inquiète pas, souffla Moï.

Mais son visage disait tout le contraire.

– Reuben, reprit-il en agrippant l'épaule de son ami, si je ne peux revenir au campement avec le Coquillage à mon collier, je préfère ne jamais y revenir.

Reuben baissa les yeux.

– Tu comprends ? insista Moï en cherchant son regard. Je préfère mourir.

Le jeune sorcier n'eut pas à répondre. Au-dessus de leur tête, une voix inconnue :

– Pas du gibier !

– Pourtant, ricana une autre, au son, on aurait bien cru que c'était du gros.

– C'était bien aussi lourd qu'un cerf, mais ça risque d'être moins goûteux.

Les visages qui se penchaient au-dessus du piège n'avaient pas l'air aussi furieux qu'on pouvait le craindre.

– Alors, on ne regarde pas où on marche ?

– Vous savez combien de temps ça prend, de refermer un piège ?

– Une demi-journée, articula Moï. Je suis désolé.

Les autres, là-haut, paraissaient plutôt hilares. Le gibier ne leur manquait probablement pas en ce moment. Prendre des visiteurs était beaucoup plus original et amusant, car les visiteurs se faisaient infiniment plus rares que les cerfs. Ils aidèrent les deux garçons à sortir du trou en les tirant vigoureusement par les bras, et Moï se présenta en contrôlant sa voix pour que sa souffrance n'y transparaisse pas.

– Je connais le peuple du Centre du Monde, fit l'homme qui paraissait être le chef. Souvent nous nous sommes rencontrés aux grands rassemblements, et je me suis lié à la sœur de Bogdan.

– Bogdan est mon père, s'exclama Moï en oubliant sa douleur. Vous êtes Dunard, du peuple de la Rivière Rouge ?

– Je le suis. Bienvenue à toi, Moï, fils de Bogdan. (Il le serra dans ses bras.) Et toi, qui es-tu ?

– L'étranger, du peuple de l'Ours.

– Le peuple de l'Ours… Le clan du haut-plateau ?

– Non, le clan de la montagne.

Dunard observa le jeune homme avec curiosité, et nota :

– Je ne connais personne du clan de la montagne. Ce clan ne participe à aucun rassemblement.

Moï s'appuya à un arbre.

– Le grand rassemblement, dit l'étranger, j'en ai entendu parler. Malheureusement nous vivons trop loin. Notre territoire est vaste et difficile. Descendre de la montagne est une épreuve.

– Ce n'est pas bon, fit Dunard en secouant la tête, de ne pas venir aux grands rassemblements.

Reuben commençait à s'agiter. Rencontrer d'autres hommes était un plaisir, mais ils ne pouvaient se permettre de rester.

– C'est très important, insistait Dunard. Il faut rencontrer d'autres clans, pour renouveler le sang, car si le clan vit sur lui-même, les cousines se lient aux cousins. C'est mauvais.

– Qu'est-ce qui est mauvais ? lança l'étranger d'un ton où perçait l'agressivité.

– C'est mauvais pour les enfants. Il n'est pas bon que des hommes et des femmes du même sang aient ensemble des enfants.

– Qu'est-ce que vous racontez ? Vous aussi croyez donc à cette fable, que l'enfant naîtrait de l'union entre une femme et un homme ?

– C'est la vérité.

L'étranger s'était tendu. Enfin, il fit un geste de la main pour dire qu'il se moquait de ces sornettes.

– Dis-moi, intervint subitement Moï. Le malheur de ton peuple, ce ne serait pas...

– C'est parce que nos ancêtres ont commis une faute, coupa l'étranger d'un ton sec. Leur âme est souillée et renaît dans un corps déformé. Quand j'aurai trouvé le dieu et qu'il m'aura dit la faute, alors je réparerai, et tout redeviendra normal.

Il fallait repartir. Moï regarda le ciel, le soleil là-haut, le temps devant lui, le temps derrière. Il posa son pied sur le sol. Il pouvait marcher. Il devait marcher. Il lui était impossible d'accepter l'hospitalité de Dunard, quoi qu'il lui en coûte.

– Nous sommes pressés, et cet incident nous a déjà retardés.

À peine eut-il prononcé ces mots qu'il se rendit compte de leur portée. La douleur dans sa cheville n'allait qu'en s'amplifiant.

– Vous devez rejoindre votre clan avant qu'il ne quitte son campement ? s'informa Dunard.

Il y avait de cela. Moï répondit affirmativement.

– Ainsi, dit Dunard comme à regret, vous n'êtes pas à la recherche d'épouses ?

Les garçons firent un signe négatif.

– Dommage. Nous avons plusieurs jeunes filles qui seraient d'âge… Peut-être pourriez-vous les voir tout de même ?

Non, c'était impossible, le temps leur manquait.

Dunard sembla déçu. Prendre dans son piège des visiteurs qui n'en étaient pas… Il n'osa pas insister. Si les garçons ne voulaient pas parler, c'est qu'ils ne devaient pas parler. S'ils ne voulaient pas rester, c'est qu'ils ne devaient pas rester. Son regard tomba sur le collier de Moï, les perles et les dents de cerf, et il comprit pourquoi il ne devait ni parler, ni rester. Il hocha la tête et salua de la main.

Moï voyait des cercles de lumière tourner devant ses yeux et, à plusieurs reprises, il crut qu'il allait s'évanouir.

– Tu ne peux pas continuer comme ça, déclara finalement Reuben. Je vais au moins t'envelopper le pied pour le contenir.

Il releva le bas du pantalon de peau et découvrit la cheville noire et gonflée.

– Ça ira, rassura Moï.

Reuben n'écoutait pas, il fixait la cheville. C'était le dernier signe. Instinctivement, il s'assura de la présence de son sac à ses côtés. Quand il releva la tête, il surprit le regard de Moï sur lui, un regard inquisiteur.

– « Dix jours tu marcheras », dit alors celui-ci sans le quitter des yeux. Je marcherai.

Il se leva, posa son pied sur le sol, et s'affaissa. Il avait perdu connaissance.

– Moï ! cria Reuben avec désespoir.

L'étranger s'accroupit près d'eux.

– Il n'y a pas de quoi s'affoler, remarqua-t-il, déconcerté par l'abattement de Reuben. La douleur lui a fait perdre conscience, ça ne met pas sa vie en danger.

– Dix jours, murmura le garçon en retenant ses larmes. Dix. Le nombre de doigts que le dieu a donnés à l'homme.

L'étranger le considéra un moment et observa :

– « Dix jours », c'est ce que dit la Parole, n'est-ce pas ? Elle ne dit pas « dix jours consécutifs ».

Reuben lui lança un regard incrédule. D'un coup, l'espoir lui revint. La magie serait-elle dans le chiffre dix lui-même et non dans le temps à respecter ? Pourquoi n'y avait-il pas pensé ? Il était trop jeune et inexpérimenté. Son père aurait su, lui. Dix.

Quelque chose se dénoua dans son cœur.

Lorsque Moï rouvrit les yeux, Reuben avait décidé que la magie était dans le chiffre et annonça :

— Nous allons nous arrêter.

— Reuben, souffla Moï en lui prenant la main. Ton sac… C'est à toi de décider. Je te l'ai dit, je suis d'accord avec ce que tu as décidé.

Le jeune sorcier se troubla. Moï savait qu'il gardait du poison dans son sac et qu'il projetait de le lui donner pour lui éviter la honte. Les larmes envahirent ses yeux.

— Tu n'as rien compris, dit-il, tout va bien. « Dix », c'est le nombre de journées pendant lesquelles il faut marcher. Qu'elles se suivent ou non est sans importance.

— Tu en es sûr ?

Reuben ferma les yeux et parut se concentrer.

— Dix journées de temps, affirma-t-il.

Son cœur battait épouvantablement. Sûr, oui. Un sorcier devait être sûr de lui. Pourtant, il ne possédait plus le moindre pouvoir de concentration. Et, pire, il ne voulait pas retrouver ce pouvoir. Il ne voulait pas la vérité. Il voulait Moï !

— Alors arrêtons-nous, accepta Moï. Je me sens de toute façon incapable de suivre le rythme du rhombe, et le compte des jours en serait perdu.

Entre les arbres, une silhouette s'approchait.

– Vous avez un blessé ?

C'était un chasseur. Il portait à la main un propulseur entièrement sculpté et une sagaie, noire à son extrémité, c'est-à-dire simplement durcie au feu. Plusieurs autres sagaies de différentes longueurs étaient attachées sur ses épaules. Son collier de canines de renards et d'incisives de marmottes l'identifiait comme appartenant au peuple de la Rivière Rouge.

– Je crois que nous allons accepter l'hospitalité de ton peuple, annonça sans détour l'étranger.

Lui, ça lui était égal, il n'était pas si pressé… Et puis, rencontrer des jeunes filles ne le laissait pas indifférent. Jamais il n'avait connu d'autres femmes que celles de son clan, et il mourait de curiosité.

12/ Gogs

Le campement leur parut énorme.
Une forêt de tentes, dont certaines
n'étaient pas rondes, comme à l'habitude, mais d'une forme allongée. De celles
qu'on bâtit quand on veut s'établir pour plusieurs lunaisons, et qu'on peut agrandir au
besoin juste en y ajoutant quelques perches. Le long
d'un fleuve, il est possible de rester plus de temps,
car les poissons ne craignent pas l'homme. Ils ne
reconnaissent pas son campement, puisqu'ils ne
font que passer.

Un peu partout, des foyers et des outres suspendues
à des faisceaux de bois marquaient l'emplacement

de chaque famille, et des tas de coquilles d'escargots témoignaient que le clan campait là fréquemment.

Moï accomplissait de gros efforts pour ne pas montrer sa douleur et maudissait intérieurement toutes ces rigoles d'écoulement des eaux qu'il lui fallait franchir. Il avait refusé l'aide de l'étranger pour ne s'appuyer que sur Reuben. Deux soutiens lui auraient été une honte, surtout que des dizaines d'yeux les observaient tandis qu'ils se dirigeaient vers la tente du chef.

– Dunard ! appela le chasseur qui les conduisait. J'amène des visiteurs.

De la tente de peau sortirent deux enfants qui dévisagèrent les nouveaux venus avec une évidente curiosité. Derrière eux, parut une adulte.

– Dunard n'est pas là, dit-elle en évaluant du coin de l'œil les trois étrangers. Je suis Xile, sa femme.

Moï réussit à sourire. La ressemblance de cette femme avec son père était confondante et lui réchauffait le cœur.

– Je suis Moï, fils de Bogdan, petit-fils de Nephtaïm.

La femme resta un moment suffoquée, puis elle leva ses paumes vers le ciel, pour rendre grâce au dieu qui lui avait envoyé son neveu. Ils s'embrassèrent, rirent. Cela faisait si longtemps ! Moï était si petit lorsqu'elle avait quitté le campement du peuple du Centre du Monde !

Reuben se détendit aussi. Il parla de Smaël, de Majda et de tous les anciens.

Le visage impénétrable, l'étranger se tenait en retrait.

– Toutes ces histoires de famille t'ennuient, remarqua Moï quand Xile se fut éloignée pour s'occuper du repas.

– Rien ne m'ennuie, répliqua l'étranger d'un ton qui démentait ses paroles.

Il désigna Xile du regard et demanda pourquoi elle avait prétendu être « la femme de Dunard ». Est-ce qu'elle lui appartenait ?

La réponse de Moï ne l'éclaira guère. Il ne comprenait rien à ces mœurs barbares. L'homme tenait-il la femme prisonnière ? Ou bien était-ce la femme qui tenait l'homme prisonnier ? Dans son peuple, aucune femme ni aucun homme n'était prisonnier. Un homme et une femme se choisissaient pour vivre ensemble un moment. L'homme chassait, la femme cueillait, ils mettaient leur nourriture en commun. Il arrivait qu'un homme choisisse plusieurs femmes, ou une femme plusieurs hommes, surtout quand leur nombre n'était pas équilibré dans le clan. Chacun pouvait changer d'avis quand il le voulait. Il suffisait de plier la peau sur laquelle on dormait, de prendre sa pierre du foyer et d'aller les porter dans une autre tente, sur un autre foyer.

Moï remarqua que l'étranger serrait ses bras contre son corps. Son regard s'était fait lointain, extérieur, presque hostile, comme s'il se demandait ce qu'il faisait là. Regrettait-il de les avoir suivis ici ? On pouvait s'entendre avec deux inconnus aux mœurs différentes, mais affronter tout un clan, c'était autre chose.

Un coup de vent balaya le campement. On se précipita pour fermer les tentes et éviter qu'elles ne s'envolent. Chacun ramena sa capuche sur sa tête, si bien qu'on ne distingua bientôt plus si les silhouettes qui allaient et venaient étaient d'hommes ou de femmes. L'étranger s'approcha du foyer pour se réchauffer, et Moï sut qu'il allait partir, qu'il se sentait soudain trop loin d'eux, trop étranger.

– Qui es-tu ? demanda une voix.

L'étranger sursauta. La jeune fille qui venait de poser cette question était rieuse, avec des dents comme les petits cailloux du torrent. Il l'examinait avec intérêt depuis un moment, et elle l'avait sans doute remarqué.

– Je suis du peuple de l'Ours, répondit-il.

– Quel est ton nom ?

L'étranger la gratifia d'un regard sévère. L'admiration qu'il avait témoignée pour sa beauté l'instant d'avant s'effaça immédiatement, et il lâcha :

– Tu n'as pas à le savoir.

Il y eut un petit flottement, puis Xile lança en riant :

– Tu impressionnes notre visiteur, Alla. (Elle se tourna vers Moï.) Ton ami semble timide. Peut-être n'est-il pas encore un homme.

L'étranger se redressa et fixa Xile d'un air hautain.

– Je suis un homme. Que dis-tu ?

– Tu ne le prouves pas, plaisanta la jeune fille.

Il la dévisagea comme si elle était laide et détestable.

– On est adulte, reprit-elle un peu impressionnée, quand on sait parler sans crainte ni colère. Cela ne semble pas être ton cas.

– On est adulte, renchérit Xile, quand on sait réfléchir et peser, quand on sait prendre et laisser.

– On est adulte, ajouta la jeune fille, quand on sait reconnaître la valeur de l'autre, et qu'on sait le lui dire.

– Oh ! s'exclama Xile en riant, ça, je crois que c'est quand on est devenu vieux et sage.

– Tout de même, reprit la jeune fille, s'il n'est pas assez sage pour faire un compliment, il pourrait au moins répondre sur un autre ton.

– Vos paroles sont une offense ! s'emporta l'étranger.

Moï connaissait l'étranger et ses principes singuliers. Les femmes et lui ne pouvaient se comprendre. Il s'interposa :

– Alla et Xile ne veulent pas te provoquer. Elles te testent et te soupèsent. C'est leur rôle. C'est la femme qui décide si tu mérites le nom d'homme.

L'étranger resta un moment tendu avant de répondre d'une voix qu'il tentait de contenir :

– En décident-elles toujours sur des critères aussi creux que la colère ou la réflexion ? Un homme est un homme quand sa voix a changé de timbre. Un homme est un homme quand il sait chasser le bouquetin.

La phrase résonna bizarrement, comme le claquement d'une goutte d'eau sur une pierre brûlante. Elle cloua la langue des femmes et peignit la surprise sur leur visage. Elles restaient là, les yeux grands ouverts, sans oser reprendre la parole, de peur de froisser encore l'étranger. Ce fut Moï qui demanda :

– Tu peux nous dire ce qu'est un bouquetin ?

– Un bouquetin ?

– Attends ! l'arrêta Xile. Il fait très froid ici. Pour raconter, il faut la chaleur. Approchons-nous du feu.

Le foyer était entièrement abrité par de grosses pierres plates, et chacun fut invité à en prendre une, toute chaude, pour s'asseoir dessus. Aussitôt, comme s'il s'était agi d'un signal, dans tout le campement les bruits s'arrêtèrent. Les hommes qui étaient occupés à chauffer les silex pour les tailler tournèrent la tête, contemplèrent un instant le rassemblement, puis décidèrent de suspendre leur travail. Ils recouvrirent de lourdes pierres le trou de leur foyer à gravier et s'approchèrent. De partout affluaient hommes, femmes, enfants. L'étranger les regardait avec une surprise grandissante. Tous ces gens, simplement pour entendre parler d'une chose aussi banale que la chasse au bouquetin ?

– Est-ce que les bouquetins sont comme les Gogs ? demanda un enfant.

– Je ne connais pas les Gogs.

– Tu ne connais pas les Gogs ? éructa une vieille femme. Ces maudits, engeance maléfique, qui vivent de l'autre côté du fleuve ? Leurs dents sont...

– Laisse-le parler des bouquetins.

– Oui, les bouquetins !

Mais la vieille qui avait pris la parole ne voulait plus la lâcher. Elle roulait des yeux inquiétants.

– Leurs dents sont comme des couteaux de silex, leurs oreilles comme des coquilles géantes, leurs narines comme la bouche du volcan, leurs bras comme des branches mortes. Ils ne sont pas fils de la roche, mais fils de la vase. Leur langage est de grognements. Même les loups les fuient. Leurs flèches sont de poison. Nul ne les voit quand elles sifflent dans le ciel et pourtant elles atteignent leur victime où qu'elle soit. Rien ne peut protéger celui que la flèche a choisi, ni arbre, ni toit, ni forêt, ni montagne.

Les enfants ouvraient des yeux terrifiés. Les adultes se frappaient discrètement la poitrine pour conjurer le mauvais sort.

– Vous les avez vus ? souffla l'étranger impressionné.

– Vus ?

La vieille agita ses lèvres, découvrant ses gencives édentées.

– On ne les voit pas. Jamais. C'est leur force. La nuit, on entend leur cri. Et leur cri vous glace jusqu'au tréfonds des entrailles.

– Si on les voyait, grogna un homme, on pourrait se battre.

– Si on voyait les flèches, on pourrait les détourner, mais elles vous frappent traîtreusement, savent éviter les os de la poitrine pour s'enfoncer au-delà. La douleur gagne le ventre, et alors c'est trop tard. Elle monte, elle monte. On se tord dans d'horribles souffrances, puis tout devient trouble, le visage bleuit et la vie se fige.

– Un jour, chuchota quelqu'un, ils passeront la rivière, et alors ce sera terrible. Terrible ! Le feu et le sang sur la terre.

Un silence angoissé suivit les dernières paroles. Puis résonnèrent les coups sourds et graves d'un tambourin, d'abord lents, et qui s'accélérèrent peu à peu avant de trouver un rythme régulier. Alors, respectant le rythme, toute l'assemblée se frappa la poitrine, jusqu'à ce que, brusquement, la vieille femme lance une note incroyablement ample. Et tous l'imitèrent, chacun choisissant la hauteur de sa note et la tenant, sans que sa voix ne descende ni ne monte. Ce n'était pas un chant, seulement une clameur extraordinaire, harmonieuse, impressionnante.

L'étranger en fut pétrifié. Jamais de sa vie, il n'avait entendu une chose pareille. Il était vrai que, chez lui, il n'y avait pas de Gogs à chasser.

La clameur s'arrêta d'un coup. Le silence qui suivit le troubla autant que la clameur l'instant d'avant, comme s'il était son reflet en creux.

– Maintenant, intervint Xile d'un ton serein, dis-nous les bouquetins.

Il eut un peu de mal à reprendre ses esprits. Comment raconter ? Jamais son récit ne pourrait égaler l'évocation des Gogs maudits.

– Est-ce que les bouquetins ressemblent aux Gogs ?

– Aux sangliers ?

– Aux aurochs ? Aux bisons ?

– Aux rennes ?

– Aux brochets, aux belettes, aux castors ?

– C'est un oiseau ? C'est un cheval ?

Tous ces gens étaient fous. L'étranger ne savait plus comment se lancer.

– C'est… dit-il.

Et tout le monde se tut.

– C'est un peu comme une chèvre…

A peine eut-il prononcé ces mots, qu'il sentit comme ils étaient plats, ordinaires, et il enchaîna aussitôt :

– Pourtant, il n'a que l'aspect de la chèvre. Une très grosse chèvre, avec de très grosses cornes, agile et futée. La montagne lui appartient, le bouquetin est chez lui au milieu des rochers, au bord des précipices. A le voir, comme ça, vous le croiriez bête et balourd. Le dieu aime jouer avec l'apparence. (Il

changea de ton.) Le dieu qui créa la
femme vit que la femme était fine et
rusée, et que les enfants qui lui naî-
traient le seraient aussi. Et il sut que
cette race allait dominer le monde. Il décida alors de
lui donner un adversaire à sa force et à sa mesure, et
créa le bouquetin. (Il laissa passer un silence.) Mais
le dieu eut d'autres raisons. Il s'aperçut que, dans sa
colère contre les géants, il avait arrêté le sang et ter-
miné son œuvre un peu trop vite. Il avait oublié de
doter l'être humain de griffes, et ne lui avait accordé
que de pauvres dents insuffisantes à sa défense. Alors
il se dit que, pour survivre, les humains devraient
rester unis. Et il mit sur leur route le bouquetin.

Il vérifia avec plaisir que tout le cercle restait
suspendu à ses lèvres.

– Et pour chasser ce gibier, les hommes durent en
effet rester unis. Un homme seul n'est rien. Il peut
mourir de faim à deux pas d'un troupeau, jamais il
n'attrapera un seul bouquetin. Car dès que
l'homme s'approche, la bête bondit de fourrés en
rochers et disparaît. Juste le claquement léger des
sabots qui vous narguent… Alors, l'homme a dû se
montrer plus rusé que l'animal.

– Comment il les chasse ?

– Quand les chasseurs repèrent une troupe, ils
commencent par bien observer le paysage, les

rochers, les surplombs et les passes tout alentour. Ensuite, ils étudient chaque piste de fuite possible pour les bouquetins et déterminent sur quel trajet il serait le plus facile de les piéger. Là, ils choisissent avec soin l'endroit d'où ils doivent attaquer pour les obliger à fuir par le chemin prévu, et celui où le groupe des chasseurs d'en bas sera relayé par les chasseurs d'en haut.

– Il y a des chasseurs en haut ?

– Bien sûr. Les anciens disent : « Puisque tu ne peux aller vers le bouquetin, il faut que le bouquetin vienne à toi. » Or le bouquetin fuit toujours vers le sommet de la montagne. Toujours. Les chasseurs d'en haut les attendent en embuscade, leurs arcs pointés. Ils ne se montrent pas, ils s'enduisent de boue pour qu'on ne les sente pas. Fuyant les chasseurs d'en bas, les bouquetins foncent droit sur eux.

Un silence.

– Ce doit être difficile, fit remarquer une voix, de savoir par où il faut attaquer et par où ils vont fuir.

– Les hommes le savent, lâcha l'étranger.

Et Xile et Moï comprirent ce qu'il voulait dire.

13/ Mourir

A l'abri de sa tente, Smaël examinait avec une profonde attention les
deux figurines d'argile. A plusieurs
reprises, sans savoir pourquoi, il avait été
tenté d'en sculpter une troisième. Il avait
même surpris ses mains à s'agiter, modelant
l'air. Il y avait quelque chose. Ses mains plutôt que
sa bouche semblaient vouloir être la voix du dieu. Il
leur confia l'argile. Elles modelèrent un humain.

Smaël posa les yeux sur la statuette en se gardant
bien de penser. La statuette était amie. Homme ou
femme, il n'aurait su le dire. Pas de leur peuple,
mais sans animosité.

Ils étaient donc trois. Moï et Reuben avaient fait une rencontre, une rencontre dont l'influence durait suffisamment longtemps pour impressionner son esprit, pour animer ses mains. Il considéra les trois figurines, l'une après l'autre.

Immobiles. Rien n'indiquait de mouvement.

Déjà, hier au soir, il avait eu cette impression. Pas bon. Pas bon. Il connaissait les deux garçons, ils ne se seraient pas arrêtés sans raison. L'autre avait-il une mauvaise influence sur eux ?

Non... Non... un accident. Quelqu'un était blessé. Moï était blessé.

Ses épaules se crispèrent. Ne rien dire à Nephtaïm. Surtout ne rien dire à Nephtaïm ! Le vieux chef voulait tant revoir son petit-fils, il ne fallait pas lui ôter l'espoir. Pourtant, si Moï et Reuben perdaient des jours, ils ne seraient jamais de retour à temps.

Décidément, l'avenir était sombre. Tout s'annonçait mal, et les signes néfastes n'allaient qu'en s'accumulant.

Smaël se retourna. Un vieil homme venait de passer la tête par l'ouverture de la tente. Son père. Il entra et s'assit sur les fourrures.

– Brrr... Qu'il fait froid ! (Il serra sa pelisse sur son corps desséché par l'âge.) Rien ne va plus dans le monde. De mon temps, le froid était moins vif, le dieu du volcan grondait moins long-temps. C'est qu'il voit que rien n'est plus comme il le faudrait, que le monde se défait.

Smaël ne répondit pas.

– Tu es avec Moï et Reuben ? Que vois-tu ? Tout se déroule bien ?

– Hum hum…

– Hum hum… Ça veut dire non. Ça veut dire que ça ne va pas.

Smaël se détourna. Son père avait perdu avec l'âge une partie de ses pouvoirs, mais il restait très intuitif.

– Ça ne m'étonne pas, poursuivait-il. Non que je leur veuille du mal, mais en ce temps où tout dépé-rit, les jeunes n'ont plus le sens de l'effort. Marcher les fatigue… Oui ! les fatigue.

– Ce n'est pas cela.

Smaël se tut. La conscience de son père s'échap-pait parfois et, s'il lui confiait que Moï était blessé, tout le camp le saurait avant le soir.

– S'ils perdent un peu de temps, finit-il, ce n'est pas extrêmement grave.

– Pas grave ? Je ne comprends pas que tu les défendes. Tout s'en va en fumée. Les jeunes de ce temps n'ont plus aucun sens du devoir. Tiens, Moï, par exemple, il te regarde toujours comme si tu étais en train de dire des sottises. Quand je lui inculque les vérités, il a l'air d'écouter poliment, mais en réalité il ricane. Je le sens, il ricane!

– Vous vous méprenez, père...

– Nullement! Un oisillon sans cervelle, à peine sorti du ventre de sa mère. Et ça voudrait être chef! Ça ne croit en rien et ça voudrait être chef!

– Il ne me semble pas, dit Smaël, que Moï tienne précisément à devenir chef.

– Ah! Naturellement! Voilà bien les jeunes! Dès qu'il s'agit de prendre des responsabilités, ils se défilent.

Smaël renonça à répliquer. Si Moï n'avait guère le goût du commandement, il prendrait pourtant la tête du clan sans la moindre hésitation, car c'était son rôle et il n'en disconvenait pas. Dommage que Cob fût né à la pleine lune, Moï en eût été bien soulagé.

Dans son coin, le vieil homme hochait maintenant la tête d'un air absent. Smaël sut qu'il songeait à Nephtaïm, et qu'il était triste. Bientôt, Nephtaïm monterait sur les pentes de l'ancien volcan, la bouche par laquelle le dieu avait donné vie à l'homme au tout début des temps. Et le vieil homme assis là savait que son tour viendrait aussi. Mais ce n'est pas de cela qu'il était triste, il était seulement triste de voir partir son ami.

Nephtaïm résistait encore. Le volcan s'était tu, le feu avait cessé de
couler, plus rien ne l'empêchait de
choisir l'instant. Il comptait chaque
jour qui passait en gravant un trait sur une omoplate de lièvre. Il voulait tenir jusqu'au retour de
Moï. Au prix de terribles efforts, il parvenait à
redresser son dos, mais il ne faisait illusion qu'à lui-
même, on ne peut aveugler que ses propres yeux.
Son dos ne serait plus jamais droit et chacun lisait
sur son visage la douleur atroce qu'il tentait brave-
ment de masquer.

Dix jours avaient passé. Moï et Reuben devaient
prendre le chemin du retour. Il ne fallait pas qu'ils
tardent ! Smaël fixa de nouveau son attention sur
les statuettes, celle qui représentait Moï surtout. Il
tendit la main vers elle et la frôla avec délicatesse.
Puis il fit glisser son doigt tout le long du corps, et
son doigt s'arrêta sur la cheville droite, hésita,
appuya lentement.

– Ça va mieux, souffla Moï, je ne souffre plus.

– Ta cheville a désenflé.

Reuben demeura pensif. Il avait fait de son mieux.
Les incantations prononcées jusque-là étant restées
sans succès, il avait tenté autre chose, et glissé dans

le pansement un mélange des plantes qui entouraient le lieu de l'accident. Et voilà que ça marchait ! Il ne dirait rien à personne de ce nouveau remède, ce serait son secret.

Ils avaient perdu deux jours et s'étaient arrêtés au huitième. Aujourd'hui comptait donc de nouveau pour le huitième jour. Pendant le temps passé dans le clan, sa conviction était devenue de plus en plus forte que la magie était dans le chiffre dix. Maintenant qu'ils repartaient, il se demandait s'il n'avait pas été influencé par le déchirement de devoir quitter le peuple de la Rivière Rouge, et surtout Alla… Pourvu qu'ils puissent revenir !

Non, ils ne reviendraient pas, ou ils reviendraient trop tard : le clan serait parti vers d'autres horizons. La seule chance qui lui restait était le rassemblement du Grand Fleuve. Depuis longtemps, son clan ne s'y était pas rendu, ayant préféré celui de la Plaine Noire ou celui des Collines du Troisième Souffle. Quand les mères louves mettraient au monde leurs nouveaux petits, Reuben saurait persuader Bogdan de mener son clan au Grand Fleuve. Pourvu qu'il ne soit pas trop tard pour Alla ! Pourvu qu'elle l'attende !

Il avait remarqué que Moï, lui, était demeuré indifférent à toutes les jeunes filles. Son attache-

ment à Delphéa était indéfectible.
Aujourd'hui qu'il était devenu un
homme, que sa voix avait mué et que
sa barbe poussait, il pourrait se lier
solennellement à elle devant le clan réuni, promettre
de la garder et de la protéger. Et elle, veillerait sur
lui le reste de sa vie. S'ils revenaient.

A mesure que le temps passait, leurs mots se faisaient plus rares, leur pas plus inquiet. L'étranger
lui-même, pour qui les dix jours n'avaient aucun
sens, ne parlait plus. Ils cherchaient l'odeur sous le
vent, et rien de ce qu'ils attendaient n'arrivait.

Au dixième jour, la plaine. Des collines. Des
odeurs mouillées d'herbe et de bison. Aussi loin que
portait leur regard, le gris et le vert, le gris et le gris.
Reuben crispa sa main sur le fond de son sac. La
petite boule dure du poison dans son sac. La petite
boule dure dans sa gorge. Si son père avait été là, il
aurait su ce qu'il fallait faire.

La neige se remit à tomber. D'abord en minces
flocons hésitants, s'accrochant comme par mégarde
aux cheveux noués, puis en larges corolles, étince-
lants lambeaux de nuages.

Ils passèrent la nuit recroquevillés sous le sur-
plomb d'un rocher, tremblants de froid et d'attente.
Au petit matin, odeurs de brume glacée et de neige

fraîche. Leurs pas laissaient des traces silencieuses. Ils poursuivaient leur route, mais ils savaient que tout était perdu.

Quelques enjambées de plus… Peut-être avaient-ils marché moins vite qu'ils ne le devaient, peut-être n'avaient-ils pas bien discerné le moment exact du lever ou du coucher du soleil sous le voile de nuages, peut-être…

Au soir du onzième jour, la brume se déchira. Ils virent au loin le gris et le vert, le gris et le blanc. Tout était fini. L'odeur était de terre glacée et de mousse sèche, de marmottes assoupies et de loups en chasse. Ils s'allongèrent sur le sol, dans un lit blanc et froid et, peu à peu, les flocons lissèrent les fourrures sombres, effaçant leurs corps de la surface du monde. Ils allaient mourir.

14/ Un temps pour tout

Agité de sentiments contradictoires, l'étranger n'avait pas repris sa route. Il n'avait pu se résoudre à laisser là ses deux compagnons. Il avait allumé un feu timide dans la forêt, assez loin pour que la vie ne dérange pas la mort, assez près pour conserver un contact. Il ignorait ce qu'était exactement leur mission, il savait seulement qu'elle avait échoué, alors il comprenait. Pourtant il ne pouvait dormir. Ses yeux fixaient le feu et son esprit était absent.

Des craquements lui firent relever la tête. Des frôlements. Un ours ! Un ours était là-bas, à renifler les corps inertes !

Stupéfait, l'étranger ne bougea pas. L'ours grattait maintenant à petits mouvements délicats la neige accumulée sur les fourrures, secouait la tête, soufflait. Puis il se mit à lécher les visages, les mains bleuies par le froid, réchauffant de son haleine tiède les membres engourdis. L'étranger contemplait la scène sans faire un mouvement. Il ne parvenait pas à définir le sens de sa stupeur. Un ours...

Ce n'était pas l'image de l'ours lui-même qui le frappait le plus, c'était... l'image de l'ours sur la neige. Ours et neige. Ours et froid. Ours et arbres nus. Cela n'allait pas ensemble. Jamais d'ours aux temps froids ; aux temps froids, les ours dormaient. Il s'agissait d'une hallucination. Il s'approcha.

L'ours leva son museau brun, le considéra un moment puis, d'un pas calme, il s'éloigna. Un long moment, l'étranger le suivit des yeux, jusqu'à ce que l'animal parvienne à l'orée de la forêt. Là, celui-ci se retourna, lui lança un dernier regard et disparut dans les futaies.

L'étranger demeura debout, les bras croisés, le front plissé. Tout cela semblait avoir un sens. C'était peut-être un signe. Ce que lui n'avait pas osé faire, l'ours l'avait fait. L'animal mieux que l'homme sait ce qui est bon.

– Moï! cria-t-il subitement. Moï! Il ne faut pas mourir!

L'animal mieux que l'homme...

Il fallait intervenir. Était-il encore temps? L'étranger se pencha sur les corps immobiles. Moï ne bougeait pas, mais Reuben avait les yeux ouverts et le fixait d'un regard lointain.

– Reuben! Réagis, vous devez vivre!

– C'est..., souffla le garçon en tournant légèrement la tête comme pour chercher quelque chose des yeux, c'était... un ours?

– Oui.

Reuben ferma les yeux, les rouvrit lentement, puis tourna la tête et considéra la forêt d'un œil incrédule.

– Un ours... (Il s'assit.) Un ours!

Il contempla avec étonnement la veste qui venait de lui tomber sur les genoux et comprit que c'était celle de Moï. A quel moment la lui avait-il glissée? Il réalisa alors que son ami, lui, n'en avait plus. Il s'affola:

– Moï! Moï! Il ne faut pas mourir. Pas mourir! (Il le secoua.) Smaël a envoyé un signe. Nous ne devons pas mourir, entends-tu?

Le jeune homme souleva douloureusement les paupières. Ses lèvres étaient crevassées, ses yeux froids et déserts. Reuben passa son bras sous son corps pour le soulever et l'enveloppa de sa veste.

– Il faudrait l'emmener près du feu, dit l'étranger.

Les yeux de Moï étaient ouverts, et pourtant aucune lueur ne leur donnait vie. Ses lèvres remuèrent.

– Laisse-moi, souffla-t-il. Tu as fait ce que tu devais, Reuben. Laisse-moi mourir. C'est mieux. Je ne serai pas la honte de mes ancêtres. Je ne mettrai pas le clan en péril.

– Je n'ai rien fait ! cria Reuben. Je ne t'ai pas donné le poison.

Et devant l'interrogation qu'il lisait dans les yeux de son ami, il ajouta :

– A quoi bon ? Le froid allait nous tuer.

– « Nous » ? Pourquoi « nous » ? Tu n'as pas à mourir, Reuben, tu n'as rien à voir avec ça !

– Et vivre, répondit le jeune sorcier avec une grimace désabusée, crois-tu que j'aurais pu ?

Sans rien dire, l'étranger rajoutait du bois sur le feu.

– Mon père, reprit Reuben, vient de me faire un signe. Trop de temps a passé, nous devons rebrousser chemin.

– Rentre, toi. Notre peuple a besoin de toi. Ta mission était de me soutenir et de m'aider, tu m'as soutenu et aidé.

– Il faut nous en retourner, Moï.

– J'ai échoué.

– D'autres ont échoué avant toi :
tous ceux qui sont partis avec un bois
de renne sec. Tu n'es pas coupable. D'ailleurs, tu n'as
jamais voulu être le chef, alors, quelle importance ?

Aidé de l'étranger, il souleva fermement son ami
et le rapprocha du feu.

Moï sentait la vie lui revenir. Reuben avait raison.
Il n'avait jamais voulu… Seulement c'était à lui d'en
décider, pas à sa défaite. Il ne supporterait pas la
honte d'avoir échoué. Reuben le savait et, le poison,
c'était pour ça. Le poison qu'il avait caché dans son
sac et qui le tourmentait tellement qu'il ne pouvait
s'empêcher de le toucher sans cesse. C'est comme ça
que Moï avait compris. Et il avait compris aussi que
Reuben était son plus fidèle ami.

– Il n'y a aucune honte, dit le fils du sorcier. C'est
le dieu qui choisit. Le dieu savait que tu n'étais pas
fait pour être chef.

Mais il voulait choisir, lui. Que le dieu le tienne
pour incapable lui était insupportable.

– Je veux dire, rectifia Reuben, que le dieu sait
bien que tu ne veux pas. Et comme il sait également
que tu ne t'opposeras pas à la loi du clan, il t'aide en
ne te donnant pas le Coquillage.

Dans le visage de Moï, marbré de bleu, les yeux semblaient un peu plus vivants.

– Quel coquillage ? demanda alors l'étranger.

– Cela n'a plus d'importance, soupira Moï.

– Mourir pour un coquillage... Je ne vous comprendrai jamais.

Moï détourna les yeux.

– Rentrons, insista Reuben. Un jour, un de tes jeunes frères partira. Tu verras, tout sera bien. Regarde, l'étranger a capturé un oiseau. Il faut que nous mangions.

– Il est un temps pour tout, dit alors une voix, un temps pour vivre et un temps pour mourir.

A l'orée de la forêt, une silhouette enveloppée de fourrure s'appuyait sur un bâton.

C'était une très vieille femme, qui s'approchait. Le temps avait déformé son corps et gravé mille rides sur sa peau. Des rides souriantes, car le dieu qui, jour après jour, marquait sur chaque visage ses mérites, révélant impitoyablement méchanceté ou aigreur, n'avait dessiné sur celui-ci que la bienveillance. *Tu peux te fier au regard d'un jeune, aux mains d'un homme, au visage d'un vieillard.*

Ils la fixèrent avec incrédulité. Personne ne l'accompagnait, elle semblait seule dans cette immensité.

C'était si étrange qu'ils se demandèrent si elle était réellement humaine
ou s'ils avaient affaire à un esprit.
Envoyé par qui, cette fois ?

– Il est un temps pour tout, reprit-elle. Le dieu
nous accorde un bout d'existence si court qu'il
ne faut pas le gaspiller. La vie finit bien assez tôt,
gardons-nous de la laisser partir en fumée simplement parce que nous n'avons pas encore compris
combien elle est précieuse et rare.

15/ Un secret

Les couleurs revenaient aux mains de Moï, son visage livide reprenait un peu de vie. Ils se trouvaient ici dans une habitation, une véritable habitation comme chez le solitaire de la forêt, sauf que celle-ci avait été établie dans un creux de falaise et protégée des vents froids par des palissades de bois. Une peau énorme servait de porte, et la fumée pouvait s'échapper par un trou naturel du rocher, qui s'ouvrait sur le ciel. Il faisait doux. On oubliait la neige et le vent.

– Cela vous étonne, n'est-ce pas ? dit la vieille femme.

Ils comprirent qu'elle ne parlait pas de l'abri et acquiescèrent de la tête.

– Nous ne pensions pas, avoua Moï, qu'on puisse survivre seul. Surtout quand on n'est pas chasseur.

La vieille se mit à rire silencieusement.

– Moi non plus, je ne le savais pas. On nous enseigne que, lorsque le temps est venu, il ne faut pas lutter.

Les garçons se demandèrent soudain s'ils devaient juger bon ou mauvais que cette femme vive.

– C'est la gourmandise qui m'a perdue, reprit-elle. Perdue ou sauvée... Quand mon pas s'est fait difficile, j'ai annoncé au clan, comme le veut la coutume, qu'il ne m'était plus possible de suivre la marche et que mon temps était venu. J'ai usé mes dernières forces à monter sur la falaise, je me suis assise et je suis restée là à écouter le vent, longtemps, longtemps, jusqu'à ce que le clan soit loin. Autour de moi, le sol était tapissé de petites baies rouges et, d'abord, j'ai évité de les regarder. Seulement c'était difficile, je n'ai pas pu résister et j'en ai mangé. Et puis j'ai vu que le ciel était bleu et que, si mes jambes étaient trop fatiguées pour les longues marches, elles pouvaient tout de même me porter de-ci de-là.

Reuben ouvrit des yeux effarés :

– Vous avez enfreint la loi !

– La loi… la loi… Qu'on me dise qui a fait la loi, je dirai si je dois la suivre.

– Le dieu a fait la loi.

– Le dieu a-t-il eu le temps de penser à ma pauvre personne ?

– La loi est pour tous.

– Je ne crois pas que le dieu ait pris soin de régler pour l'homme le détail de sa vie.

Pour la première fois depuis bien longtemps, Moï sourit. Cette vieille femme lui plaisait. Il examina son visage ridé et, soudain, il songea à Nephtaïm. Il y avait treize jours qu'ils avaient quitté le clan…

– A qui sert cette loi ? poursuivait-elle. Je me suis posé la question, et ma réponse est : la loi sert la conscience du clan. Abandonner quelqu'un qui doit continuer à vivre est difficile. Abandonner quelqu'un qui doit mourir paraît répondre à une loi naturelle.

Comme le visage de Reuben se renfrognait, elle reprit d'un ton conciliant :

– Si le dieu voulait que je meure, il m'aurait fait mourir, son pouvoir est assez grand pour cela, non ?

Reuben ne trouva rien à répliquer.

– Donc, un jour, je suis redescendue de la falaise, et je me suis installée dans cet abri en attendant la mort. Je n'étais pas pressée, la mort non plus. Un troupeau de chèvres avait ses habitudes dans cet endroit et les bêtes se sont accoutumées à moi. J'ai bu leur lait, mangé les baies des buissons, pris l'eau à la source. Puis j'ai fermé mon abri quand le froid s'est fait plus vif, je l'ai ouvert aux beaux jours. J'ai cherché les champs de grain et cueilli les fruits aux branches basses... Les temps froids, les temps chauds se sont succédé. Je suis toujours là.

Elle regarda Moï et demanda :

– Tu cherches le Coquillage sacré ?

– Comment le savez-vous ?

– Tu portes le collier de perles et, entre les deux dents de cerf, tu dois fixer le Coquillage. Pourquoi voulais-tu mourir ?

– Je ne l'ai pas trouvé.

– Comment l'aurais-tu trouvé ? Tu n'es pas arrivé.

La stupéfaction se peignit sur le visage de Moï.

– Je ne suis pas arrivé ?

– Si tu vas à la mer, tu n'es pas arrivé.

Il y eut un court silence, puis Moï observa :

– Je le devrais. Il fallait marcher dix jours.

– Nous avons marché durant onze jours, précisa Reuben. La mer n'existe plus.

– Quelle sottise ! La mer est la mer. Elle ne peut apparaître ou disparaître.

Reuben se braqua :

– Si nous n'avons pas réussi, c'est que le dieu a décidé de la retirer de notre vue.

La vieille femme scruta le visage de Reuben, puis de Moï, et enfin elle s'adressa à ce dernier :

– As-tu fait ce que disait ton message ?

– Tout, répondit vivement Reuben de peur que Moï ne révèle le texte sacré.

– C'est à lui que je parle, intervint la femme en désignant Moï.

– Nous avons tout fait, mais nous avons perdu deux jours, et nous les avons remplacés par deux autres.

– Cela est sans conséquence, et quoi d'autre ?

– Le talisman...

Reuben intervint violemment :

– N'en parle pas !

– Quelle importance ? Je ne délivre pas toute la Parole sacrée. Un morceau, seul, ne peut servir à rien. (Il regarda la femme.) Le talisman est un andouiller de renne fraîchement tombé. Or, les rennes ne se sont pas montrés depuis des lunes et j'ai dû partir avec un fragment sec.

– Aucun de ceux qui sont partis avec un bois sec n'a trouvé le Coquillage, précisa Reuben avec mauvaise humeur.

La vieille femme resta pensive.

– Le bois de renne, déclara-t-elle enfin, n'est sans doute pas un talisman.

– C'est un talisman, affirma Reuben. C'est parce que nous ne l'avons pas que nous avons échoué.

– C'est vrai.

Cette réponse prit les voyageurs de court. La femme tombait d'accord avec eux au moment où ils s'y attendaient le moins.

– Le bois de renne n'est pas un talisman, reprit-elle, mais il est une indication. Si vous n'avez pas trouvé la mer au bout de dix jours, c'est que vous avez marché pendant des jours courts au lieu de marcher pendant des jours longs.

– Il n'y a pas de jours courts ni de jours longs, souffla Reuben ébahi.

Ce faisant, il cherchait dans sa tête la justification de ce qu'il avançait. Il ne trouva aucun texte de leur tradition qui parlât de longueur de jour et en conçut plus de dépit encore.

– Nous sommes aux temps froids, expliqua la vieille, et les jours sont courts. Or, lorsque le renne perd son bois, les jours sont encore longs : tu trouves le bois frais, tu marches dix jours, et tu arrives à la mer. Si tu pars plus tard, quand les jours sont plus courts, dix jours ne suffisent pas, il en faudrait plus. Le bois n'est pas un talisman, c'est un repère dans le temps.

– En êtes-vous certaine ? demanda Moï plein d'espoir. Un homme nous a dit que le soleil était bas aux saisons froides, haut quand il fait chaud. Il nous a dit que lorsque le soleil fait des ombres moins longues, les feuilles viennent aux arbres. Il ne nous a pas dit que les jours n'avaient pas la même longueur.

– Il ne faut pas voir, mais regarder. Il ne faut pas regarder, mais voir. Et compter. Compter ! C'est le maître mot. (Elle demeura songeuse.) Votre homme est-il un chasseur ?

– Il est comme vous. Il vit immobile.

– Ça explique. Il faut vivre très longtemps, et au même endroit, pour remarquer les choses, les mettre en rapport les unes avec les autres. Si longtemps ! Et puis, ensuite, pour être sûr, il faut prendre le temps de mesurer, et de compter.

Moï fixait la femme. Les jours étaient courts ! Cela expliquait pourquoi ils n'avaient pas souffert : ils ne marchaient pas assez longtemps pour sentir la fatigue !

Peu à peu, son désespoir s'évanouissait, à mesure que la vieille femme expliquait comment elle avait, au début, juste cherché à savoir si les jours étaient plus longs que les nuits. Elle avait rempli une outre, l'avait fermée d'un bois de renne bien hermétique, l'avait suspendue au-dessus d'une auge de bois et percée au fond d'un petit trou. Du lever au coucher du soleil, l'eau s'était écoulée et, au soir, elle avait marqué d'un trait l'endroit où elle était arrivée. En recommençant la même chose pour la nuit, elle s'était rendu compte que la nuit était beaucoup plus courte, car l'eau était loin d'atteindre la marque de la journée. Elle avait recommencé l'expérience pendant plusieurs jours : aucune différence, le jour était toujours plus long que la nuit.

– Mais alors ?

– Quand les froids sont venus, comme je dors peu, j'ai trouvé les nuits interminables. Prise d'une révélation subite, j'ai raccroché l'outre au-dessus de l'auge de bois... Et je me suis dit : « Mam, es-tu sotte, tu l'as toujours su, et c'est aujourd'hui seulement que tu penses à le mesurer ! » Les nuits étaient longues, mes enfants, et les jours courts !

Le visage de Moï était douloureusement attentif. Depuis son départ du Centre du Monde, il lui semblait qu'une éternité avait passé. Tout avait vacillé, plus rien n'était comme avant. Temps chauds, soleil haut, jours longs, feuilles aux arbres. Temps froids, arbres nus, jours courts, soleil bas... La femme dit que ce mouvement était régulier, que c'était un cycle, et qu'il durait entre treize et quatorze lunaisons. Compter. Le monde était une merveille. Ils avaient échoué à cause de la longueur du jour, juste à cause de la longueur du jour !

– L'homme passe son temps à courir, poursuivit la vieille. Quand on court, on ne voit rien. Moi je suis là. Et j'ai vu.

– Le solitaire de la forêt, dit Moï, voulait planter une grande pierre pour mesurer les ombres et savoir si elles respectaient un cycle.

– Il ne plantera rien, murmura Reuben, il est mort. D'ailleurs, regardez...

Par la porte ouverte, ils aperçurent la clairière. Et, au milieu de la clairière, le chien.

Assis dans la chaleur de l'abri, Reuben caressa doucement le chien qui dormait, les pattes, usées par tant de chemin, repliées contre son corps amaigri. Après les tourments commençait à venir une certaine paix. Il avait enfin compris que, si ce que prétendait la femme était vrai, les anciens le savaient. Parce que les anciens savaient tout. Seulement, ils conservaient ce secret pour ne leur révéler que plus tard, quand l'heure serait venue. Était-il mauvais ou bon que la femme le leur ait dévoilé avant ? Peut-être le voyage était-il destiné à cela. Il dressa l'oreille. Il entendait des voix, au-dehors.

L'étranger se leva, s'approcha de la palissade qui fermait l'abri et glissa son regard par une fente.

De là, il ne voyait qu'un seul visage, le visage gracieux d'une toute jeune fille. Un moment, il resta à le contempler, puis il souleva la peau de bison et sortit.

Les visiteuses se retournèrent d'un même mouvement. Il s'agissait de quatre jeunes femmes, chaudement vêtues de pantalons de fourrures et de vestes à capuches. Elles portaient aux poignets et aux chevilles de grands anneaux retombants.

— Tu as des visiteurs, Mam, remarqua l'une. Excuse-nous…

— Ce n'est rien, rassura l'étranger sans quitter des yeux la jeune fille qu'il avait aperçue tout d'abord. Nous ne sommes que de passage.

Elle saisit son regard.

— Ce jeune homme est du peuple de l'Ours, annonça la vieille femme. Et les deux qui sortent maintenant appartiennent au peuple du Centre du Monde. (Elle se tourna vers eux.) Ces jeunes femmes font partie de mon clan et appartiennent au peuple du Plateau.

Ils se saluèrent et se sourirent. Puis ils parlèrent de la neige qui les avait surpris et commençait à fondre, de leurs clans et de leurs territoires. Seul l'étranger ne disait rien. Il contemplait la jeune fille, et son visage demeurait impassible.

La conversation finit par s'éteindre et aucune des femmes ne sembla vouloir la reprendre, comme si le temps était venu que les hommes s'éloignent. Mam ne faisait rien pour les écarter et, pourtant, elle savait pourquoi elles venaient ! A leur grande surprise, elle fit asseoir tout le monde sur les rondins de bois disposés en cercle – témoignant de la fréquence des visites. Et elle dit :

– Mes mains sont vieilles et fanées. Dans peu de temps, je quitterai ce monde. Il faut que ceux qui ont vu enseignent à ceux qui n'ont pas vu, pour que le savoir s'étende, et qu'à chaque savoir puisse s'en ajouter un nouveau. Le secret n'est pas une bonne chose. S'il met en valeur celui qui le détient, il est néfaste à la communauté. Je dois donc révéler à tous...

– Mam ! Ce sont des hommes !

– Ce sont des hommes. Ce que connaîtront ces hommes, ils le diront à leur femme, et leur femme le saura, et ainsi le savoir se répandra dans les contrées lointaines habitées par ces peuples.

Les quatre jeunes femmes ouvraient des yeux pleins d'indécision.

– Mais, Mam, il s'agit de magie !

– Il n'y a pas de magie, seulement un secret. Pourquoi êtes-vous toujours si promptes à croire à un pouvoir personnel ? Je ne veux pas que ma mort entraîne celle de vos bébés… Toi qui attends un petit, dis à ces garçons pourquoi tu es ici.

– Je suis venue, commença avec timidité la femme, pour que mon bébé ne meure pas.

– Avez-vous aussi une malédiction ? s'informa l'étranger.

– Il n'y a pas de malédiction, martela Mam avec impatience.

Le visage de l'étranger se ferma. La jeune fille vit l'éclair de colère dans ses yeux et elle ne voulait pas. Elle intervint alors, d'une voix amicale et douce :

– Les bébés que Mam met au monde meurent moins souvent que les autres. Parce qu'elle a un pouv… un secret.

– Ces femmes sont courageuses, remarqua Mam. Elles sont venues en cachette. Si leur clan le sait, elles seront blâmées.

– Nous serons blâmées, mais ça m'est égal. Je veux que mon bébé vive. J'en ai déjà perdu deux.

– Pourquoi votre clan vous interdit-il de venir ? s'intéressa Moï.

– Parce que, si Mam sauve nos bébés, elle refuse aussi de les enduire de boue à leur naissance. Les anciens disent que c'est sacrilège, que c'est détourner les enfants du dieu qui les a créés.

– Écoutez ceci, déclara alors Mam,
écoutez bien, vous qui attendez un
bébé et vous qui n'en attendez pas
encore, et vous dont les femmes en
auront un jour. Quand le bébé naît, coupez vite le
cordon qui le retient à la mère, sinon il mourra, ne
pouvant vivre en même temps de l'intérieur et de
l'extérieur. Ensuite, et là est le secret, enveloppez-le
seulement dans des fourrures, sans l'enduire de
boue. Je suis surprise que personne n'ait pensé que,
si les enfants que je mets au monde ne meurent pas,
c'est sans doute PARCE QUE je ne les frotte pas de
boue, et uniquement pour cela.

– La boue porterait malheur ? demanda Reuben
avec circonspection.

– Je ne sais pas. Je ne connais pas la raison. J'ai toujours senti que c'était mauvais pour eux, c'est tout.

Elle promena son regard sur le cercle, hésitant à
révéler qu'elle ne croyait pas au malheur, mais peut-
être plutôt à une maladie qui viendrait par la boue.
Ils la prendraient pour une folle, car seul le dieu qui
lance le soleil chaque matin dispense la maladie et
la mort.

Cependant, le garçon, là – le fils du chef Bogdan,
celui qu'on appelait Moï – il avait des yeux… Il
savait s'en servir pour voir. Son visage vivait de l'intérieur, il tenait sa tête comme le lièvre aux aguets.

Il serait un grand chef, de ceux qui écoutent au lieu de courir. Oui, Moï... Elle pourrait le lui dire. Elle lisait dans son regard une perplexité, une curiosité, qui lui permettraient d'entendre ce qu'il fallait entendre.

16/ Un nom pour la fleur

Quand Moï se réveilla, Reuben dormait encore. La vieille femme avait quitté l'abri, et l'étranger n'était pas là. Il repoussa la fourrure qui le couvrait et sortit. L'air était brumeux, comme souvent avant le lever du soleil. Par endroits, la neige, lustrée par le froid de la nuit, faisait des taches luisantes. Un moment, il resta dans l'entrée, à observer Mam qui trayait les chèvres dans la clairière. Ses gestes étaient lents et sûrs, comme ceux des vieux polisseurs de silex, des gestes dont le rythme s'est inscrit dans le corps. Cette vieille femme exerçait sur lui une sorte de fascination.

Comme il s'approchait, elle tourna la tête et demanda :

– Le monde est-il beau, ce matin ?

– Plus clair. (Il embrassa du regard l'herbe cassante, hérissée de brindilles mortes.) Il faut que nous partions.

– Es-tu si pressé ?

Oui, il était pressé. Pressé de vérifier si la mer se trouvait réellement là, à deux jours de marche ; si, contrairement à ce que croyait Reuben, elle n'appartenait pas au monde de la sorcellerie.

– Avez-vous vu l'étranger ? s'enquit-il.

– Il n'était pas là à mon réveil.

– Il a dû aller chasser.

Cela le préoccupa car, inconsciemment, il pensait encore qu'il lui fallait partir dès le lever du soleil. La Parole sacrée faisait partie de lui.

– Ça m'étonnerait, répondit Mam, il a emporté son sac et ses fourrures.

Moï la fixa avec stupeur. L'étranger serait parti ainsi, sans prévenir ? Il en ressentit comme une brûlure.

Il ne fallait pas. L'étranger ne leur était rien, il n'avait aucun devoir envers eux. Tout de même... Mais qui peut comprendre l'autre ? Il était parti avec son sac, sa peau d'ours et son arc en bois d'if. Il n'avait laissé qu'une chose, involontairement :

le souvenir qu'ils garderaient de lui. Car l'étranger faisait à tout jamais partie de la quête de la Cyprée sacrée.

– La vie s'étire, dit Mam, hérissée de rochers et de falaises, traversée de torrents dont tu ignorais jusqu'à l'existence. Ce qui en fait le goût, ce n'est pas ce que tu avais prévu, ou souhaité, mais ce qui te surprend, même si cela est douloureux.

Elle se redressa, s'étira le dos en appuyant ses mains sur ses reins, et considéra Moï un instant.

– Regarde cette clairière… Quand je me suis installée ici, il y avait, au centre, des tapis de fleurs bleues, magnifiques teintes qui échappent à la main de l'homme. (Elle eut un geste fataliste.) Tout passe. Elles se sont fanées…

Elle regarda le garçon avec plus d'attention et leva l'index, comme pour bien attirer son attention. Son ongle était jaune et épais, son doigt sillonné de crevasses.

– Alors sont apparues des fleurs blanches et odorantes. Ensuite, il y a eu de petites fleurs jaunes et, un peu plus tard, ont poussé de hautes tiges avec des corolles de toutes les couleurs. Il faisait chaud. Les corolles ont résisté longtemps, elles ne sont mortes que lorsque le froid est arrivé. Et puis tout s'est desséché. Pendant des lunes, la clairière fut

 grise, et voilà que sont sorties des feuilles longues et minces. Entre les feuilles, se sont ouvertes de petites trompes jaunes et, un jour, les fleurs bleues ont de nouveau envahi la clairière... Tout recommence. Tout recommence toujours, mon fils.

Elle baissa la voix et ajouta :

– Ce monde appartient au soleil, pas à la lune.

– Vous avez compris le monde ?

Elle secoua la tête :

– C'est le dieu qui a organisé le monde.

Elle dit ces mots d'un tel ton que Moï ne sut si elle le croyait ou non. Néanmoins, elle continua :

– Le dieu a organisé le monde. Nous interdit-il de comprendre comment il l'a organisé ?

Elle lui parla des maladies. Elle disait qu'elles étaient probablement envoyées par le dieu, mais qu'on pouvait parfois éviter son doigt frappeur. Était-ce mal ? Le dieu avait-il réellement ordonné qu'on enduise les enfants de boue ? Quand ? L'homme avait-il bien interprété sa voix ?

La femme lança un regard rapide vers l'abri et se remit aussitôt à chuchoter, confiant par bribes un message qui lui paraissait urgent. Elle lui parla du grain qui avait pourri à l'hiver et qu'elle avait jeté derrière la falaise, et Moï sut – sans en comprendre

vraiment la portée – que le grain naît
du grain comme le gland naît du
gland, qu'il germe et sort de terre
quand le soleil monte. Et il sut ce que
jamais le clan n'avait deviné, car le clan court toujours et mange le grain sans laisser à sa tige le temps
de flétrir.

Et il eut presque honte de savoir tout cela, comme
s'il avait outrepassé ses droits, trahi les anciens,
comme s'il avait percé le secret du dieu. Il n'était
qu'un membre du clan, une créature parmi d'autres.

– En nous poussant dans le monde, poursuivit
Mam, le dieu nous a donné des yeux pour voir et
des oreilles pour entendre. Chacun doit rapporter
à tous ce que ses yeux et ses oreilles ont glané. C'est
pourquoi j'ai regardé les fleurs, et je les ai nom-
mées. Il faut nommer les choses pour qu'elles
existent, sinon elles ne sont qu'une au milieu des
autres, et tu ne les vois pas. Je les appelle chacune
différemment, pour ne plus risquer de les confondre.
Lorsque la jonquille pointe, les jours rallongent.
J'attends que le muscari bleu envahisse la clairière
et je sais que la tige va sortir du grain. Alors vite,
je sème le grain là où je veux qu'il pousse, à deux
pas de mon abri.

– Ce n'est pas le dieu qui souffle par-dessous,
murmura Moï, le cœur un peu serré.

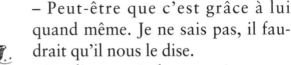

– Peut-être que c'est grâce à lui quand même. Je ne sais pas, il faudrait qu'il nous le dise.

– Le dieu ne s'adresse qu'aux sorciers. Smaël et Reuben l'entendent, comprennent ce qu'il dit par la bouche du volcan ou par celle des sources. Eux seuls peuvent lui parler.

La vieille femme ne répondit pas.

Allongé sur les peaux de castor, Reuben observait le chien. Il dormait d'un sommeil calme. Son poil était rêche et blanc, et terne, c'était un vieux chien. Il avait pleuré son maître mort, l'avait longtemps veillé, puis s'en était allé sur leurs traces, car le chien, comme l'homme, n'aime pas la solitude.

Il fallait partir d'ici au plus vite. Les jeunes femmes désobéissaient à leur clan, la vieille avait enfreint la loi, tout cela était néfaste. Reuben aurait voulu rentrer immédiatement au Centre du Monde, mais Moï avait décidé de poursuivre jusqu'à la mer. Pour quoi faire ? Les dix jours de marche s'étaient écoulés, il était trop tard.

Il s'était heurté à Moï, à sa volonté, il avait failli s'en retourner seul. Ils avaient échangé des mots durs, comme jamais ils n'en avaient prononcé. Et puis, il était parti se coucher en ruminant sa colère. La colère étouffe la raison, seul le temps

qui passe peut l'éclairer de nouveau.

Reuben s'assit subitement. Il
savait ! Si la vieille racontait que la
mer existerait pour eux avec ou sans andouiller de
renne, elle avait sans doute raison, cependant tout
était signe. Ils n'avaient pas trouvé le bois fraîchement tombé, ils ne trouveraient pas le Coquillage. Il
en était sûr. De plus en plus sûr.

Il se sentit mieux. Il fallait que Moï aille là-bas,
que Moï voie de ses propres yeux, cesse de douter
de tout. Il ne trouverait pas le Coquillage et saurait
alors la puissance de la Parole sacrée. Il ne trouverait pas le Coquillage, et la longueur du jour n'aurait rien à voir avec ça. Si les jours étaient plus ou
moins longs, c'est que le dieu en avait décidé ainsi.
S'ils avaient marché pendant des jours courts, c'est
que le dieu l'avait voulu.

Un cycle du soleil, du chaud et du froid ? Sottise !
Les anciens racontaient qu'ils avaient vu dans leur
enfance les rivières gelées, si dures qu'on y marchait
comme sur la terre. Lui n'avait jamais connu que de
minces couches de glace cassant à la moindre pres-
sion. Le grand froid n'était jamais revenu. Le dieu
décidait. Du froid, de la pluie, du vent. S'il avait choisi
pour eux des jours courts, c'est qu'il avait ses raisons.
Et lui, Reuben, refusait de lutter contre le dieu.

 Il réfléchit. Il faudrait que le dieu montre sa puissance, pour que ce crédule de Moï comprenne enfin où était la vérité. Oui, il allait parler au dieu, le supplier de se faire reconnaître. Par exemple… en retenant le soleil pour qu'il ne monte pas dans le ciel. Le dieu pouvait le faire. Les anciens disaient qu'autrefois, il l'avait caché en plein jour pour rappeler aux hommes qu'il était maître de tout.

Reuben fixa la faible clarté qui se glissait par le haut de la palissade et murmura les incantations.

La femme se saisit d'un long bâton creux, dirigea l'une des extrémités vers les braises et souffla dedans pour ranimer le feu qui couvait. A l'aide de pinces de bois, elle retira ensuite des braises les galets brûlants et les jeta dans l'outre d'eau suspendue à un faisceau de quatre solides branches.

Bruit sourd, familier, des galets qui éclatent au contact de l'eau froide. Moï retrouvait soudain la chaleur de la vie du clan. Souvent, c'étaient les jeunes qui se chargeaient de remplacer les galets pour entretenir la chaleur de l'eau et cuire le grain.

Dans le clan de Bogdan, le grain manquait depuis un long moment, et on ne mangeait plus que de la viande. Ce plat de tubercules leur serait un régal. S'ils avaient eu des os à moelle à faire cuire avec, ç'aurait été encore meilleur. Mais ils n'avaient pas chassé, et Mam n'avait aucun gibier puisque la femme ne donne pas la mort.

Il tourna brusquement la tête. L'étranger venait de déboucher dans la clairière. Son apparition lui fut comme une lumière. Il s'exclama :

– Nous allions repartir, nous n'espérions plus te voir.

L'étranger ne répondit pas, son visage était sombre. Il s'assit devant le feu et le fixa sans un mot. Mam lui jeta un regard inquisiteur, puis elle se saisit d'une dent de castor et commença à raboter une courte planche de bois.

– Tu es parti en emportant tout..., commença Moï.

– Je ne savais pas si je pourrais revenir.

Comme il n'ajoutait rien, Moï insista :

– Tu es libre de ne pas parler mais, après tout le temps que nous avons passé ensemble...

– Que veux-tu que je te dise ? Ces gens sont des imbéciles.

– Qui ?

– Le clan. L'ancien clan de Mam.

La vieille femme leva les yeux.

– Tu y es allé à cause de la jeune fille, n'est-ce pas ? Les regards ne trompent pas, elle te plaît. Et elle...

Toutes ses paroles étaient des caresses. Tu es parti pour rencontrer le clan, demander. Que s'est-il passé ?
– Rien.

– Le clan a refusé ?

– Il a prétendu que je devais m'engager vis-à-vis d'elle pour toujours.

Il y eut un silence.

– Et tu ne voulais pas ? demanda Mam.

– C'est contraire aux coutumes de mon clan.

Personne ne trouva rien à répondre.

– Nous repartons, annonça Moï.

Il y avait comme une question dans sa voix, et l'étranger répondit aussitôt :

– Je viens avec vous.

Moï acquiesça de la tête. Et Reuben, viendrait-il aussi ? Il regarda avec appréhension vers l'abri. Reuben était à la porte, ses bagages près de lui, et le considérait d'un air soucieux. Il ne sut s'il fallait en être inquiet ou rassuré. Sans faire de remarque, il pénétra dans l'abri et commença à rouler sa couverture.

Le nombre des objets accumulés là passait l'imagination. Jamais son clan tout entier n'en avait possédé autant. Il mit dans ses bagages cette faisselle que Mam lui avait donnée, et où on laissait égoutter le fromage. Hier, il ignorait même jusqu'au nom du fromage. Ici, les récipients étaient d'une finesse extrême. La vieille femme avait tout  son temps et peu de force, alors elle creusait avec patience jusqu'à obtenir des parois minces qui rendaient les objets légers. Dans le coin gauche s'entassaient de l'os, des lanières de bois, de l'écorce de bouleau, des silex de toutes sortes. Et puis, une quantité incroyable d'outils : une faucille de bois à dents de silex, un pilon, des tranchets emmanchés dans des bois de cerf, des pics et des grattoirs. Moï songea à Nephtaïm, à sa passion des outils, et son cœur saigna. Il fallait aller très vite jusqu'à la mer et s'en revenir à temps, car Nephtaïm était vieux...

Il ferma les yeux. Attends-moi, Nephtaïm. Ne pars pas avant que je ne sois revenu. Ne pars pas.

Il rangea dans son sac l'autre cadeau de Mam, une faucille. Nephtaïm aimerait sa forme. Une nouvelle faucille. Il faut nommer les fleurs, il faut nommer les choses pour qu'elles existent, pour qu'elles se distinguent les unes des autres, pour apprendre à les connaître... Le monde était en train de se transformer.

Non, le monde ne se transformait pas, c'était sa vision du monde qui se transformait.

 Et s'il acquérait un pouvoir sur ce monde ? Pas un pouvoir de sorcier, seulement un pouvoir d'homme… Alors tout pouvait changer. Il sentit une bouffée d'espoir l'envahir. Nephtaïm ! Attends-moi Nephtaïm !

– Delphéa !

La jeune fille se tendit. Elle prit le temps de sortir l'outre de la rivière avant de se retourner. Cob venait vers elle.

– Delphéa, j'ai consulté les anciens. Et j'ai la réponse que tu attendais.

Elle ne répondit pas. Elle souleva l'outre et en accrocha les anses à son épaule.

– Si Moï revient sans la Cyprée, reprit Cob, il ne pourra devenir le chef, et tu seras libérée de l'obligation de l'épouser.

Delphéa baissa les yeux et commença à remonter vers le camp. Comment expliquer à Cob que, si elle voulait vivre sa vie entière avec Moï, ce n'était pas parce qu'il serait chef. C'était parce que son cœur chantait quand il était près d'elle, et qu'elle se sentait comme morte quand il était au loin.

Cob allongea le pas pour la rejoindre.

– C'est la loi, Delphéa, rappela-t-il.

– Je peux choisir de devenir la compagne de Moï malgré tout, dit la jeune fille.

Cob en resta bouche bée.

– Vivre ta vie avec un paria ? Tu sais de quoi tu parles ?

Delphéa demeura silencieuse.

– Et si Moï ne revenait pas ? insista Cob.

– On dirait que tu le souhaites.

– Non, je te le jure. J'aime mon frère, je veux son retour, mais le dieu est le maître de tout et les signes sont néfastes.

– Nul ne connaît les projets du dieu.

– Smaël les connaît, et il affirme que Moï n'a pas trouvé la Cyprée.

Si Moï n'avait pas la Cyprée, il ne rentrerait pas, il le savait. Il ne le dit pas. Il dit simplement :

– Si Moï ne rentre pas...

– Si Moï ne rentre pas, le clan voudra que je choisisse un autre compagnon. Le clan a besoin d'enfants.

– Alors, interrogea Cob d'un air tendu, tu t'uniras à moi ?

Delphéa le regarda, hocha la tête dans un signe affirmatif, tourna les talons et rejoignit sans un mot le cercle du clan.

« Au commencement du monde, l'homme naquit de la lave du volcan, et le feu sauva l'homme.

A la fin des premiers temps, le dieu s'endormit, et le silex sauva l'homme.

A la fin des seconds temps, le dieu s'éveilla, et l'aiguille sauva l'homme. »

Un enfant entonna le chant de l'aiguille qui passe et repasse pour lier la peau à la peau et arrêter le vent. Pour lier la peau à la peau et garder le grain et l'eau. Pour lier la peau à la peau et sauver l'homme.

– Le dieu s'était endormi, rappela Majda. Il avait donné le silex à l'homme, et la glace avait recouvert la terre. C'était la deuxième époque.

« La deuxième époque dura longtemps, si longtemps que l'homme désespéra du dieu. Il s'enduisit le corps de graisse de bison et s'enfonça dans les entrailles de la terre.

« Un jour enfin, le dieu se manifesta. Il donna à l'homme un os. L'homme en détacha l'aiguille, la polit et la polit, et la perça. Il glissa dans le trou un crin de cheval et attendit que le dieu lui dise ce qu'il devait en faire. Le dieu se réveilla. Il s'étira, bailla et s'ébroua si fort que la terre se mit à trembler. Les montagnes se fendirent, les vallées se creusèrent, les plaines s'élevèrent et les forêts s'engloutirent. Les rivières perdirent leur lit, et la mer son repos. Les eaux montèrent au levant comme au couchant.

« Alors l'homme sortit des profondeurs de la terre, et il sut que le temps de l'aiguille était venu. Il se mit à coudre les peaux, à les coudre fort et serré pour habiller ses bateaux. Et il réunit les siens.

« La mer envahit la terre. L'homme flotta sur les eaux longtemps, si longtemps qu'il en perdit le goût du monde d'avant.

« Puis les eaux baissèrent. L'homme reprit pied sur la terre. Les plus anciens rassemblèrent leurs souvenirs et ils ne reconnurent rien. Tous les grands animaux qui avaient peuplé leur monde, tous ceux-là qui n'avaient pu nager pour gagner les sommets, avaient disparu de la surface de la terre.

« Ils cherchèrent longtemps et retrouvèrent les grottes où ils avaient vécu. Alors ils s'y enfermèrent, allumèrent leurs lampes à graisse, et dessinèrent sur les murs leur monde disparu, pour qu'à jamais son image reste vivante.

« Et commença la troisième époque.

17/ Le bout de la terre

Depuis qu'ils étaient repartis, l'étranger n'avait pas ouvert la bouche. Quand il vit qu'au bout de la terre, il y avait la mer, il s'assit sur la dune et fixa l'horizon. Puis, lentement, ses yeux parcoururent l'infini du bleu, d'un côté à l'autre du ciel. Les mains posées sur les genoux, il ne bougea plus, jusqu'à ce que l'océan se moire des dernières lueurs du jour. Alors, il leva la tête, cherchant un signe dans le ciel.

Et il vit le signe.

La première étoile venait de s'allumer, là-haut, derrière lui. Il abaissa son regard et, sous l'étoile, il vit la jeune fille. Malgré le refus de son clan, elle était venue.

Il resta immobile jusqu'à ce qu'elle s'agenouille face à lui. Alors il lui prit les mains et lui murmura qu'à tout jamais il la protégerait, qu'il l'emmènerait avec lui vers l'étoile qui les appelait, et qu'ils passeraient ensemble de l'autre côté du ciel.

Ils s'éloignèrent dans le soir, sans un regard vers la mer, les yeux fixés sur l'étoile qui leur montrait le chemin.

Longtemps, Moï et Reuben les suivirent des yeux, jusqu'à ce que la nuit les engloutisse. Puis ils regardèrent la mer. Leur chemin s'arrêtait là. Leur rêve s'arrêtait là. Et malgré le désespoir, ils ne pouvaient se défendre de la fascination qui les avait saisis. Jamais leurs yeux ne s'étaient emplis d'une telle immensité, de cet infini où se noyait le soleil. Et en même temps, ils se sentaient pleins de terreur. Terreur de ce monde nouveau et inconnu, terreur de la mouvance de l'eau qui glissait vers eux. Ils luttaient entre l'envie de s'enfuir et l'éblouissement qui les clouait sur place.

Le chien restait silencieux, la tête un peu penchée, comme s'il partageait leurs incertitudes, leurs angoisses et leur désespérance.

Semblable au rythme des vagues, la conscience allait et venait. Moï n'avait pas trouvé le Coquillage,

Reuben n'avait pas arrêté le soleil. Le monde était étrange et beau, insondable et terrifiant.

Quand vint la nuit, ils s'allongèrent à l'abri de la dune, dans le chuchotement inquiétant de l'eau qui s'enroulait et se déroulait. Moï ne sortit pas sa flûte, ne demanda pas la protection des ancêtres. Tout était dit, il ne fallait rien briser.

Ils ne dormirent pas. Ce n'était pas la nuit – la nuit est immobile et sourde – c'était un souffle noir et menaçant qui jamais ne s'apaisait.

Le jour les prit dans la même position, recroquevillés contre la dune. Leurs yeux scrutèrent l'étendue grise, leur dos fit couler le sable. Ils avaient veillé, mais l'eau n'était pas venue jusqu'à eux. Elle avait léché leurs pieds, puis s'était de nouveau retirée au loin, laissant derrière elle un désert lisse et glacé.

– Nous ne trouverons pas le Coquillage, dit Reuben.

Il était inutile de chercher encore. Ils avaient parcouru ces grèves l'une après l'autre, ramassé chaque coquille. La Cyprée n'y était pas.

– Nous ne l'avons pas trouvé parce que le dieu ne l'a pas voulu, reprit Reuben. Nous n'avions pas le bois de renne, nous n'aurons pas le Coquillage sacré. Il faut s'incliner.

Le monde était sans fin, étranger, incompréhensible. Moï s'effondra. Il ne savait ce qui lui était le plus cruel : ne pas découvrir la Cyprée, ou devoir remettre en doute le monde logique que lui avait dessiné la vieille femme, et auquel il avait si aveuglément cru.

Le vent s'était levé et courait sur l'eau. Et l'eau se gonflait sous sa caresse, s'ornait de petits nuages blancs. Les yeux fixés sur le lointain, Moï s'avança sur le sable. Là d'où venaient les vagues venait aussi le Coquillage sacré. L'écume blanche trempait ses pieds, il avançait toujours. Il avait échoué. Il ne serait pas le chef du clan, et son échec prendrait place dans l'histoire du clan. Et il se transmettrait de génération en génération.

L'eau lui montait aux genoux, il avançait toujours. La voix de Reuben lui parvenait dans le lointain. Le froid lui glaça le ventre, il n'y pensait pas. Une vague se jeta sur ses épaules. Il sentit ses oreilles éclater. Et la voix de Reuben se mêlait à la tempête. Mille flèches lui labouraient le corps, les dieux se l'envoyaient de l'un à l'autre, le dieu du vent, le dieu de la mer, du sable et des rochers. Mille aiguilles le transperçaient.

Quelque chose avait explosé dans le cœur de Reuben, et il avait crié. Pourtant, il ne devait pas. Il savait depuis longtemps ce qui arriverait. Il regarda autour de lui, ce monde obscur, solitaire et déchiré. Le corps de Moï vacilla, se plia, disparut. Comme s'il n'avait jamais existé.

Reuben se sentit étouffer. Moï était là, Moï n'y était plus. Et il vit le monde sans Moï. Et il hurla. Et il entra à son tour dans les vagues sans prendre garde au froid. Moï !

Reuben supplia le dieu d'en bas de l'aider, et le dieu l'entendit. Il rendit le corps de Moï léger entre ses bras, il ordonna à la mer de le soutenir, aux vagues de le porter jusqu'au rivage. Le dieu voulait que Moï vive !

Maintenant, ils étaient là, échoués sur le sable, et Reuben n'entendait plus le dieu. Il considéra avec inquiétude les blessures de son ami. La vie cherchait à s'échapper par là. Pourquoi le dieu s'était-il soudain tu ? Reuben ne connaissait pas les plantes de ce pays, il ne saurait pas trouver les feuilles qui guérissent !

Il ôta avec précaution les vêtements déchiquetés de son ami et lava ses plaies avec cette eau du dieu, cette eau que l'homme ne pouvait boire. Le chien, à son tour, s'allongea près du blessé et entreprit de lécher ses blessures. Alors Reuben réalisa que c'était le dieu, qui leur avait envoyé le chien. Oui. Le dieu avait mis Hurt sur leur chemin et avait pris sa vie pour la donner à Moï par la langue du chien.

Le ciel était gris et lourd. Le vent glacial. Le chien avait léché les blessures jusqu'à ce qu'il n'y reste plus aucune trace de sable, jusqu'à ce que le sang se soit tari. Moï n'avait pas repris conscience et bleuissait de froid. De nouveau, Reuben sentit la détresse l'envahir. Il aurait voulu l'abri bien chaud de la tente, il aurait voulu la chaleur du clan !

Il tenta de respirer calmement. Il n'était plus un enfant, il devait décider. Faire le feu. L'âme trouvait toujours le réconfort dans la bienveillance des flammes. Il chanta à voix basse le chant du feu. « Éternel soit le feu qui éclaire notre nuit et chasse les démons. » En réchauffant son corps, les flammes lui faisaient oublier que son ami ne parlait plus, oublier qu'il se trouvait seul dans un pays inconnu. Il n'avait pas pu arrêter le soleil. Le dieu ne l'avait pas voulu. Ce qu'il avait voulu, c'est que Moï vienne jusqu'ici. Moï avait cru à un monde d'illusions, Moï s'était laissé aveugler par les discours de mauvais génies qui s'étaient mis sur son chemin, alors le dieu l'avait mené à la mer et lui avait montré que le Coquillage n'y était plus.

Maintenant, Moï avait vu. Il avait compris que le dieu seul décide. En cela ce voyage avait été salutaire, même s'il était terrible. Les brindilles étaient sèches, et les flammes montèrent aussitôt en crépitant bruyamment.

Quatre feux brûlaient autour de Moï. Le chien veillait. Reuben regarda l'horizon, bleu devant, vert derrière. Ici, il n'avait pas neigé. Les herbes folles cachaient-elles des Gogs ?

La Parole sacrée disait que, dans ce pays de la mer, les lapins abondaient et restaient sans méfiance, car ils ne connaissaient pas l'homme. La Parole sacrée ne mentionnait pas de Gogs. Reuben s'arma de son propulseur et partit.

Dans ce pays mystérieux, les lapins étaient les mêmes que chez eux, et il en tua six. Il était très adroit avec son propulseur. Souvent, il se contentait de placer à l'intérieur du crochet un simple galet au lieu d'une sagaie, et le caillou assommait l'animal avec tant de force qu'il mourait sur le coup, sans souffrance aucune.

Les lapins d'ici mouraient comme ceux de là-bas, et Reuben regarda le pays avec moins de crainte.

A son retour, il vit que Moï dormait toujours dans la même position, ce qui signifiait qu'il n'avait fait aucun mouvement dans son sommeil. Cela ne le rassura pas.

Il dépeça les lapins et lava leur peau dans un creux de rocher, puis il en embrocha un pour le mettre à cuire. Ensuite, il choisit une solide lame de silex dans le sac et s'installa près du feu pour gratter avec soin les peaux qu'il avait tendues à l'aide de bâtons enfoncés dans le sable. Il n'avait pas d'ocre pour les tanner, pas non plus l'écorce de chêne dont se servait l'étranger... Le sable ferait-il l'affaire?

Il frotta longuement les peaux de ces minuscules grains de toutes les teintes de jaunes, de blancs et de gris. Il fabriqua quelques cadres de bois avec des branches de pins et tendit les peaux dessus pour les laisser sécher. Le ciel s'était dégagé mais le vent restait toujours aussi froid. Moï ne bougeait pas.

Tout en suppliant le dieu de lui conserver son ami, Reuben monta de ses mains une butte de sable entre le blessé et le vent. Puis il partagea le lapin avec le chien et s'allongea dans le soir.

– Moï!

Reuben sentit de nouveau l'anxiété le submerger. Jusqu'à la veille, son ami semblait simplement dormir, alors que, ce matin, il avait de la fièvre, sa respiration était pénible. Smaël, lui, aurait su que faire…

Les feux, qui brûlaient jour et nuit, entretenaient une chaleur acceptable. Reuben avait monté des dunes tout autour et un abri de branches qui les protégeait. Presque un vrai campement. Il s'assit près du feu. Il ne fallait pas gémir, le gémissement disperse l'énergie au lieu de la concentrer. Pour la concentrer, il fallait créer. Il allait terminer son travail.

Il sortit de son sac un os de volaille, cadeau de sa mère, en ôta le bouchon de bois et versa dans sa main les trois aiguilles de différentes tailles. Il en choisit une, évalua son chas, et l'agrandit un peu en y posant la pointe d'un silex effilé qu'il fit ensuite adroitement tourner entre ses mains. Puis, du petit tarse de renne qui lui servait de bobine, il déroula un tendon et entreprit de coudre ensemble toutes les peaux, en forme de veste et de pantalon. Dans sa tête, il fredonnait le chant de l'aiguille qui coud avec tant de précision que le vêtement devient peau sur la peau pour laisser à l'homme la liberté de ses mouvements.

Soudain pris d'une sensation étrange, il releva la tête. Moï le fixait de ses yeux grands ouverts.

– Tu vas mieux ?

Mais Moï ne voyait rien.

Reuben lui fit boire un peu d'eau, tenta inutilement d'en obtenir un mot... Attendre. S'il n'est pas assassin, le temps devient remède. Il s'assit de nouveau et reprit sa couture en expliquant au chien comment c'était important et urgent, surtout si Moï allait mieux. Son plus gros problème serait la réalisation des boutons, car il n'avait à sa disposition que de l'omoplate de lapin, et que c'était trop fragile. Il aurait fallu de l'omoplate de cerf.

Il se résolut finalement à casser les petites palettes tout près de leur point d'attache, ce qui faisait une sorte de papillon assez dur. Le rétrécissement central permettait de le coudre au vêtement.

18/ Le peuple de l'écume

Les yeux de Moï fixaient le ciel. Les nuages se poursuivaient, voilant ou dévoilant le soleil, chauffant ou glaçant son corps malade. Peu à peu, il reconnut le feu, la masse tiède du chien allongé contre lui, Reuben qui cousait, absorbé par son ouvrage. Tout en nouant des papillons d'os sur la veste, il fredonnait à mi-voix le chant du silex qui sauva l'homme quand finit la première époque, le chant de l'aiguille qui sauva l'homme quand finit la deuxième époque, le chant de la lampe à graisse qui immortalisa dans les grottes le souvenir des temps passés, et le chant du feu qui conserve la vie.

Au deuxième jour, Moï se redressa, caressa la tête du chien, passa les vêtements cousus par Reuben et resta assis à contempler la mer. Ses lèvres semblaient soudées.

Au troisième jour, son regard se tourna vers la gauche, et il fixa l'île qui dressait ses rochers au-dessus des flots, luttant pour empêcher la mer de l'engloutir. Il n'avait toujours pas prononcé un mot. Ses yeux ne se détachaient pas de l'île.

Au quatrième jour, il regarda le soleil écarter les nuages, descendre au ras de l'eau et illuminer la mer de flaques dorées avant de se noyer au loin. Quand il rentrerait au campement du Centre du Monde, on lui offrirait une canine d'hyène pour se moquer de lui et, toute sa vie, il la porterait à la place de la Cyprée qui s'était refusée, entre les dents du cerf. Il devait retourner dans le clan pour boire sa honte. Il devait retourner dans le clan pour libérer Delphéa de son engagement. C'était lâcheté que d'avoir voulu mourir.

Il réalisa soudain ce qu'il voyait : avec Reuben, il y avait deux garçons. Deux garçons bruns et bouclés. Ils étaient là depuis un moment, lui semblait-il, même s'il ne les percevait vraiment que maintenant.

Reuben n'était-il pas venu à plusieurs reprises lui parler ? Il se rappelait vaguement qu'il lui avait

montré une pointe de sagaie déta-
chable. Il rentrait et sortait la pointe
de son logement, sans doute pour lui
faire bien comprendre son fonction-
nement. A cette pointe était fixée une longue ficelle.
Les images lui revenaient peu à peu, et la voix du
chien, inquiète et consolante.

On lui avait apporté aussi une pierre aux reflets
dorés sur laquelle on frappait avec un silex pour en
faire sortir des étincelles. Il avait dû rêver cela. Les
jours étaient-ils longs ou courts ? La mer était là,
mais ce n'était pas la mer. Elle lui ressemblait, c'était
tout. C'était une mer stérile qui cachait ses trésors.
La logique, le cycle du soleil, le cycle de la lune…
Quelle logique invoquer pour la disparition du
Coquillage ? Reuben avait raison, et lui, Moï, était
maudit du dieu.

— Pourquoi parle-t-il toujours de coquillage ?
interrogea un garçon.

— Il est devenu fou, dit un autre. Il a bravé le dieu
de la mer et il est devenu fou.

— Il y a un dieu, dans la mer ? s'inquiéta Reuben.

Il s'était tendu. Malgré les bonnes raisons qu'il se
répétait, il avait senti que la mer était une grande
force, et qu'un dieu pouvait l'habiter. Les deux garçons bruns ouvrirent de grands yeux.

– Bien sûr, souffla l'un. Il y a le dieu de la mer et le dieu de la terre.

– Le dieu de la mer, chuchota l'autre, est plus fort que le dieu de la terre.

Reuben esquissa un vague sourire.

– Le dieu de la terre est le plus puissant, affirma-t-il. Il a parlé par la bouche du volcan et, de sa lave, a créé l'homme.

– Chut… (Les deux garçons jetèrent des regards apeurés vers la mer.) Si le dieu t'entendait, sa colère serait terrible. C'est le dieu de la mer, qui a créé l'homme. Nous sommes les fils de l'écume.

– De l'écume ?

– Le dieu a façonné le poisson dans l'algue et l'homme dans l'écume. De même que l'écume ne peut pas vivre sous l'eau, l'homme ne peut pas vivre sous l'eau.

– Le dieu, enchaîna l'autre garçon, était si content de son œuvre qu'il a déposé le fils de l'écume sur le rivage, pour mieux le contempler. Et puis il s'est endormi. Alors, l'homme a regardé autour de lui. La terre lui a semblé plus riche et plus variée que la mer, plus ferme sous son pas. Il a quitté le rivage et a pris pied sur la terre. Quand il s'est réveillé, le dieu de la mer est entré dans une grande fureur. Il accusait le dieu de la terre de lui avoir volé sa créature. Ils se dressèrent l'un contre l'autre avec violence. Les montagnes se fendirent, les vallées se creusèrent. La mer se gonfla de colère, s'éleva, s'éleva. Elle envahit la terre et la noya. Le dieu de la terre était vaincu. Sa voix se tut. Seuls régnaient l'eau et le vent. Alors le dieu de la mer, satisfait, s'apaisa et se retira dans son royaume.

– Mais il veille. La mer monte et descend tout au long du jour et de la nuit pour rappeler au dieu de la terre qu'il n'est pas le maître.

Moï ferma les yeux. C'était le dieu de la mer qui avait repris la Cyprée…

– Pourquoi parle-t-il de cyprée ?

– C'est que, répondit Reuben d'un ton embarrassé, il en cherchait une.

– Il en cherchait une ? Pourquoi ?

– Pour… devenir le chef de notre clan. Le chef de notre clan doit posséder le Coquillage.

– Une cyprée ?

Reuben se sentit mortifié. Ces garçons prononçaient le nom du Coquillage sacré avec une familiarité et une indécence dont ils ne semblaient pas conscients.

– Des cyprées, déclara une voix plus grave, il n'y en a plus guère.

Moï tourna la tête. Ses yeux s'ouvrirent. Il n'y avait pas seulement deux garçons, mais plusieurs adultes, et d'autres enfants. L'homme qui venait de parler ressemblait un peu à son grand-père. Ses cheveux étaient blancs et longs, et ses mains noueuses. Il poursuivait :

– Les cyprées, on les trouvait autrefois, du temps que la mer était loin.

Moï le fixa. Il balbutia :

– La mer… autrefois…

Personne ne l'entendit.

– La mer n'était pas là, autrefois ? répéta-t-il avec plus de force.

On se tourna alors vers lui et on l'examina avec curiosité.

– Lorsque j'étais jeune, répondit finalement l'homme, la mer n'encerclait pas l'île qu'on voit là-bas. On pouvait y aller à pied, et c'est là qu'on trouvait les cyprées. La mer monte et descend pour montrer qu'elle reste maîtresse de la terre. Et, pour assurer sa domination, elle grignote la terre en montant toujours un peu plus qu'elle ne descend.

La mer avait monté ! Il n'avait pas rencontré le Coquillage parce que la mer avait monté ! Moï se sentit revivre. La lumière lui était revenue. Reuben dirait que la mer montait parce que le dieu en avait décidé ainsi, et qu'il avait englouti la Cyprée de sa propre volonté. Il n'en discuterait pas.

Mais le monde vivait sur un cycle régulier ! Le cycle de la lune était de vingt-huit jours, celui du soleil de treize ou quatorze cycles de lune...
Peut-être y avait-il aussi un cycle de la mer ? Un cycle encore plus long que celui de la lune ou du soleil, un cycle si long qu'aucun homme ne vivait assez longtemps pour s'en apercevoir.

Le monde n'était pas figé. Il évoluait. Les saisons chaudes étaient plus chaudes, les saisons froides moins froides...

– A la saison chaude, dit-il, les jours sont plus longs que les nuits. Le soleil s'élève au-dessus de nous, les jonquilles à trompes jaunes sont remplacées par le muscari bleu, puis vient le muguet odorant et, ensuite, s'ouvre la rose trémière. Le soleil est très haut, et les ombres sont courtes.

Les visiteurs se regardèrent, intrigués.

– Peut-être, déclara enfin le vieil homme, peut-être pas. Même si c'était vrai, qu'est-ce que cela changerait ?

– Eh bien... Si on sait comment le grain germe, sort de terre, grandit, met son épi...

– Le dieu de la terre nous donne le grain, coupa le vieillard. Je sais guider mon clan vers l'endroit où il pousse lorsque le moment est venu. Et le moment est venu quand, depuis plusieurs lunes, il fait chaud.

Je prends alors ce que le dieu me donne. Même si ce que tu dis est vrai, à quoi cela servirait-il de le savoir ?

Moï ne sut que répondre. Il aurait volontiers rétorqué que ça servait à savoir, mais il pressentait qu'il y avait plus.

L'homme interrompit sa réflexion :

– Quand les fruits sont mûrs, nous les cueillons. S'il n'y en a pas, nous chassons. Si le gibier est trop jeune, nous n'usons pas nos forces à le poursuivre, nous savons qu'un vieux cerf est plus facile à tuer. Ces connaissances nous suffisent, et nous vivons bien. Que veux-tu chercher ailleurs ? Quand la mer descend, nous ramassons des coquillages, quand elle remonte nous les mangeons. Prends le monde comme il est, et suis son mouvement.

Le vieux avait raison, et en même temps il avait tort. Pourquoi avait-il tort ?

Moï fronça soudain les sourcils. Qu'est-ce que ces hommes faisaient ici ? La Parole sacrée disait que, dans le monde des dunes de sables, les lapins restaient sans méfiance car ils ne connaissaient pas l'homme.

– Êtes-vous de passage ? demanda-t-il.

– Nous sommes les fils de l'Écume. Ici est notre territoire. Il s'étend d'un bout à l'autre du monde de la mer. Nous sommes le peuple du Rivage et nous formons le nouveau clan. « Quand le clan s'agrandit, quand le nombre des hommes et le nombre des femmes passe dix fois les doigts des deux mains, le clan doit se scinder en deux, ou bien il meurt. Prends quatre hommes et quatre femmes, quatre filles et quatre garçons et va vers le soleil de midi, jusqu'à ce que tu rencontres un territoire où ton ancien clan n'a jamais posé le pied. Là commence ton nouveau territoire ».

Moï fixa l'homme et, dans ses yeux, passa une lueur.

19/ Le temps venu

– Le temps le dit. Le feu le dit. La bête le dit.

– Es-tu sûr, Smaël ? s'inquiéta Bogdan en laissant retomber derrière lui la peau qui fermait la tente.

– Pourquoi me tromperais-je ? Je ne peux dire que ce que je vois.

Le sorcier demeura là, dans la semi-obscurité, à contempler l'omoplate de mouton avec circonspection, sans la toucher. Elle avait brûlé lentement, comme il le fallait. Elle était noire et sèche, et craquelée. Et chaque craquelure constituait un élément de la réponse.

Il avait bien vu, la réponse était que Moï n'avait pas découvert la Cyprée. Cependant, les trois petites fêlures parallèles, sur le bord, semblaient ôter un peu de gravité à la révélation.

– Moï n'a pas trouvé le Coquillage sacré, reprit-il, toutefois il semble avoir trouvé autre chose.

– Quelle chose ? s'emporta Bogdan. Rien d'autre n'a d'importance ! Quelle chose, si précieuse soit-elle, pourrait faire que cette catastrophe n'en soit pas une ?

– Je ne sais pas. Se fâcher ne sert à rien. Je ne vois rien qui puisse tempérer cette affreuse nouvelle et, pourtant, le message ne m'apparaît pas comme entièrement pessimiste.

Bogdan leva ses poings vers le ciel.

– Pas pessimiste ! As-tu vu que mes cheveux sont gris ? Qui me succédera à la tête de ce clan ? Mes autres fils sont si jeunes…

Smaël ne répondit pas. Son rôle n'était pas de répondre, seulement de voir. Son mutisme doucha la colère du chef.

– Ah ! soupira-t-il en s'accroupissant devant le feu, j'espérais tant ! Moï n'est pas un sot, il ne manque pas de courage, ni de volonté.

– Sa volonté n'était pas d'être chef.

– Qu'importe ! Il aurait tout fait…

– Calme-toi, Bogdan, il a tout fait, j'en suis persuadé. Et…

Le regard de Smaël devint fixe. Il resta sans bouger, puis sa voix s'éleva, lointaine, atone :

– Le monde n'est plus le même. Je vois des arbres où il n'y en avait pas… Je vois l'eau là où elle n'était pas.

Bogdan contempla le sorcier avec stupeur.

– Dans un monde nouveau, poursuivait Smaël, il veut créer un monde nouveau.

– Qui ? s'énerva le chef en craignant la réponse.

Smaël ne répondit pas.

– Qui veut créer un monde nouveau ?

La vie revint aux yeux du sorcier. Il aperçut Bogdan, et c'est alors seulement qu'il entendit sa question. Et il répondit :

– Ton fils, Moï.

– Moï ?

– Moï a changé, je ne sais pas ce qu'il veut… Ou plutôt non, il n'a pas changé, je ne sais pas ce qu'il veut.

Les deux hommes considérèrent sans rien dire l'omoplate de mouton, les marbrures qu'y avait dessinées le feu. Pas trouvé le Coquillage… Bogdan secoua la tête avec un mélange de colère et de découragement.

– Moï sait-il lui-même ce qu'il veut ?

– Bogdan… Je vois Cob… Cob… Il sera le chef du clan.

Bogdan examina le visage du sorcier et remarqua ses yeux absents.

– C'est invraisemblable, s'exclama-t-il malgré tout, complètement impossible ! Même sans le Coquillage, il vaudrait encore mieux que ce soit Moï qui guide le clan.

Il était inutile de parler, le sorcier n'entendait rien.

– Moï sera le chef du clan…

Bogdan resta stupéfait. Smaël devenait fou. Le dieu avait ôté ses mains de sa tête. Le sorcier venait de prononcer deux prophéties aussi insensées que contradictoires. Il faillit le prendre par les épaules pour le secouer. Il résista à l'envie de le sortir de sa transe, car ce serait très grave et qu'il n'en avait pas le droit. Il dut se contenter d'attendre, avec une appréhension grandissante, de rencontrer enfin son regard.

– Smaël, prononça-t-il alors avec prudence, tu viens de dire que Cob serait le chef du clan, et puis que Moï le serait.

– J'ai dit.

– Mais ni Moï ni Cob ne peuvent…

La peau de l'entrée se souleva, éclairant la tente un court instant, et Nephtaïm entra. Il ne s'assit pas. Le sol était trop bas, il ne pourrait plus se relever. Il dit seulement :

– Je voudrais savoir…

– Il revient. Moï est en chemin.

Nephtaïm considéra le visage du sorcier, puis celui de son fils.

– Il n'a pas… trouvé, souffla-t-il d'un ton désolé.

Smaël secoua la tête.

– Il est loin, encore, n'est-ce pas ? reprit le vieil homme avec un désespoir qu'il tentait de dompter.

– Il est loin, confirma Smaël.

– Trop loin…

Le vieux chef baissa la tête. Trop loin.

– Comment va-t-il ? demanda-t-il enfin.

– Son esprit m'échappe, il vagabonde dans des lieux où je ne le retrouve pas.

– C'est Moï, soupira Nephtaïm.

Ils restèrent un long moment sans parler, puis le vieil homme serra sa couverture de fourrure autour de ses épaules décharnées et sortit.

Nephtaïm écouta. Le dieu du volcan s'était définitivement tu, on ne pouvait plus en douter. La lave s'immobilisait peu à peu sur les pentes sacrées. Son temps était venu.

Il savait bien que Bogdan avait retardé, autant qu'il avait pu, le départ du clan. Bogdan avait du mal à décider, et pourtant, rien n'était aussi simple.

Rien n'était aussi simple et rien n'était aussi difficile. Il comprenait son fils, ce qui se passait derrière son visage immobile, il comprenait Cob, et tous ses petits-fils qui devaient l'accompagner, et Moï.

Moï ne serait pas là. Ce serait dur pour lui.

Mais il avait déjà trop attendu. Le clan ne pouvait demeurer immobile plus longtemps, car son odeur avait déjà chassé le gibier au loin. On ne devait pas s'arrêter, on ne pouvait pas s'arrêter. Le temps poussait le clan sur le vaste territoire. Avec les grands froids qui étaient venus, ils devaient descendre sur les plaines basses où demeuraient les bisons. S'il faisait plus doux, ils trouveraient des cerfs en lisière des hautes herbes. La chaleur les ramènerait dans la vallée.

Oui, son temps était venu. Et puis, Bogdan serait maintenant obligé d'annoncer qu'il donnait Delphéa à Cob, et il préférait partir avant de l'entendre. Ce serait comme si on lui tuait délibérément Moï. Il aimait Cob, pourtant, sa chaleur, son énergie, son esprit de décision. Cob serait un grand chasseur, un bon chef de famille… Seulement, dans son cœur, il sentait que Delphéa appartenait à Moï.

Il n'y fallait plus penser. Même si Moï revenait, le clan ne lui donnerait pas Delphéa. Elle était trop belle, ses enfants ne pouvaient avoir pour père un paria.

Il s'assit sur une pierre. La neige n'avait pas tenu. Il lui semblait que lorsqu'il était enfant, il neigeait davantage. Mais peut-être n'était-ce qu'une impression. Comment déterminer la part de la réalité, et la part de l'imagination ? Il faudrait marquer, marquer tout par des signes, des signes qu'il faudrait inventer pour chaque chose, comme les anciens autrefois avaient gravé des traits sur les côtes de renne pour compter les jours de la lune et les paroles du volcan.

Maintenant, il était trop tard pour commencer à marquer. Dommage. On ne prend conscience du monde que lorsque l'on a vécu longtemps, et alors il est trop tard. Il aurait voulu dire cela, et beaucoup d'autres choses, à Moï.

Il releva la tête. Voilà qu'il était entouré d'enfants.

Ah ! Il s'était assis, sans y prêter attention, sur la pierre à histoires. Les enfants s'accroupirent sans un mot, leurs yeux brillants fixés sur lui. Oui, il pouvait encore dire, encore transmettre, et tous ceux-là se rappelleraient son dernier jour ; ceux-là se rappelleraient chaque mot, et ils le répéteraient à leur tour à leurs enfants et à leurs petits-enfants, et les mots passeraient le temps. Seuls les mots passent le temps.

– Eh bien, dit-il, je vais vous raconter le puits.

– Oh oui ! Le puits !

Nephtaïm regarda une dernière fois vers le couchant, là d'où arriverait Moï, et reprit :

– C'était au temps de mon ancien clan.

– Le clan du Plateau des Pierres, précisa un enfant.

– Là était le silex, ajouta une voix.

– Là était NÉ le silex ! rectifia une autre.

– Là était né le silex, confirma Nephtaïm. Mon clan était si célèbre pour son puits de silex qu'on l'appelait souvent « le clan du silex », et on venait de très loin pour se procurer notre pierre. Aussi, le clan se scindait-il rarement. Nous devions rester très nombreux, car nous avions besoin de beaucoup d'hommes pour organiser le travail. Il fallait les dénicheurs, qui extirpaient les rognons de silex.

– Avec des bois de cerf si solides que rien ne les entamait.

– Il fallait les casseurs, qui les brisaient.

– Les voyageurs, qui les ramenaient jusqu'au puits dans des paniers de corde.

– Les haleurs, qui les remontaient.

– Les tailleurs, qui les taillaient.

– Bien. Le puits était profond, si profond que, lorsqu'on en avait descendu à peine la moitié, on ne voyait déjà plus la lumière du jour. Les veines de silex ne manquaient pas, mais celle du fond était la meilleure, et on avait ouvert là plusieurs galeries. Un jour…

Tous les yeux s'ouvrirent. Plus un mot n'échappa.

– Un jour, un homme s'engagea dans le puits, un homme grand et fort, car pour aller dans le puits, il fallait être grand et fort. Si l'homme était trop petit, il ne pouvait appuyer son dos d'un côté et ses pieds de l'autre pour descendre. Mais cet homme-là était grand. Il s'est assis sur le bord du puits, a calé ses pieds sur l'autre bord et a commencé la descente comme on doit le faire : les pieds d'abord, puis le dos et les mains, de nouveau les pieds et ainsi de suite. Une fois qu'on a pris la bonne position, il n'y a aucun danger. C'est pour cela que personne n'a compris pourquoi il était tombé. On s'est précipité au bord du trou, on a appelé, mais c'était le silence. Si profond était le puits qu'on n'en voyait pas le fond. On ne voyait que la nuit…

– Le silence noir de la nuit, chuchota une voix.

– Les lampes à graisse, qui veillaient en permanence, s'étaient éteintes. Avec des cordes, on en descendit d'autres, mais leur lueur n'était pas assez forte pour nous permettre de voir. Alors le conseil a décidé qu'il fallait descendre, et j'ai été désigné. Mon cœur battait, je dois le dire. Mon dos et mes pieds s'appuyaient aux parois avec tant de force que tous mes muscles me faisaient souffrir.

– Tu avais peur.

– J'avais un peu peur. Des dizaines et des dizaines de fois, j'étais descendu dans le puits mais, là, je m'attendais à chaque instant à ce que mon pied rencontre le vide, un effondrement qui expliquerait la chute de l'homme. La descente fut interminable. Enfin, je vis les lampes à graisse et je sautai à terre… Je ne suis pas tombé sur le sol, je suis tombé sur les jambes de l'homme. Cela m'a fait une impression terrible. Je me suis jeté de côté et je l'ai regardé. Il ne bougeait pas. Les lampes à graisse s'étaient posées sur sa poitrine et donnaient à son visage une expression terrifiante. C'était le silence. Des cinq galeries qui s'ouvraient sur le puits, on ne voyait que cinq trous noirs et inquiétants. C'était comme si je les découvrais pour la première fois. Je m'approchai de l'homme, j'écoutai son souffle, j'écoutai son cœur. Plus de souffle, plus de cœur. Il était mort. Je criai qu'on envoie des cordages, je l'attachai et on le sortit du puits. Et, là, je sentis la tête me tourner. Je n'arrivais plus à respirer. La dernière chose que je me rappelle, c'est d'avoir noué la corde autour de ma taille.

« J'étais à demi inconscient quand on m'a remonté. Jamais je ne fus aussi heureux de voir la lumière du jour. Ce que je ne m'expliquais pas, c'est pour quelle raison, brusquement, le puits m'avait fait si peur...

« Lorsque la nuit tomba, on entendit soudain un son étrange, comme une plainte. On resta longtemps à écouter. La plainte venait du puits. Personne n'osa s'approcher. Enfin le sorcier annonça que c'était l'âme du mort, qui s'était échappée de son corps mais n'avait pas réussi à sortir du puits.

« L'âme poussait des cris déchirants, et personne ne put dormir cette nuit-là. Nous étions terrorisés. Alors, le sorcier dit : " Demain, elle verra la lumière du jour et saura sortir. "

« Quand le soleil se leva, la plainte s'arrêta, et nous fûmes soulagés. Cependant, personne n'osa descendre dans le puits. Et, comme le soir tombait de nouveau, de nouveau la plainte reprit. Le sorcier dit : " Le puits est trop profond, elle n'a pas pu voir la lumière et remonter. "

« Les lamentations continuaient, parfois effrayantes, parfois sourdes et pitoyables. Elles allaient et venaient le long des galeries, errant dans le noir. Des jours et des jours. Des nuits et des nuits.

« Les sages se réunirent, et il fut décidé de tenter quelque chose pour cette misérable âme. On abattit un pin très haut, le plus haut qu'on trouva. On coupa ses branches à courte distance du tronc pour en faire une échelle, et on perça le bois de trous qu'on bourra de mousse et de graisse.

« Quand vint le soir, on alluma toutes ces petites lampes à graisse, et on fit glisser le tronc dans le puits. Puis on alla se cacher au loin.

« Ce soir-là, on n'entendit pas l'âme. Elle avait vu les lumières qui lui indiquaient la sortie et était montée le long du tronc en s'aidant des moignons de branches. Mais soudain, alors que toutes les oreilles guettaient encore, on entendit sous la terre comme un coup de tonnerre. C'était la voix du dieu, qui fêtait la libération de l'âme.

« Le lendemain, quand on s'approcha du puits, on s'aperçut que tout s'était effondré. Le dieu ne voulait pas que l'homme retourne à l'endroit où avait souffert une âme…

Il savait ce qu'il aurait dû répondre ! Il savait la réponse ! Un sourire passa sur le visage de Moï. Il ne

s'arrêta pas et n'en dit pas un mot.
Reuben était toujours rétif à reconnaître une vérité nouvelle, et Moï ne
voulait rien qui puisse gâcher sa joie.
Si on connaissait la marche exacte du temps, les
moments où commençaient les saisons, les fleurs et
les événements qui les annonçaient, on pourrait aider
la nature, l'utiliser. On pourrait planter l'arbre là où
on voulait qu'il pousse, semer le grain là où on voulait le récolter, comme l'avait fait Mam. Il le dirait à
Nephtaïm, et Nephtaïm saurait l'entendre.

Combien de jours faudrait-il pour rejoindre le
clan ? Ils marchaient aussi vite qu'ils pouvaient,
aussi longtemps qu'ils pouvaient, jusqu'à ce que la
nuit noire arrête leurs pas.

Reuben ne comprenait plus. Après être resté des
journées entières prostré, à ne rien faire, voilà que,
subitement, Moï voulait rentrer, que le Coquillage
n'avait plus d'importance. Il marchait sans répit,
portant le vieux chien sur son dos pour lui éviter la
fatigue d'un aussi long voyage. Il marchait sans rien
voir, sans lui accorder un moment pour écouter la
voix du dieu. Moï avait soudain peur pour Nephtaïm et sans doute avait-il raison.

Reuben se sentait épuisé et il était assailli de
sinistres pressentiments touchant surtout Nephtaïm

et Delphéa. Il n'en disait rien à Moï. Il mettait toute sa force à se concentrer pour découvrir l'endroit où se tenait le clan, où il avait fui la colère du dieu. Mais se concentrer ne suffisait pas, c'était la voix des sources qu'il lui fallait, il fallait que Moï lui laisse le temps... S'il leur arrivait malheur, ce serait de sa faute.

— Vos petits-fils sont tous là, Nephtaïm.

— Je vois, je vois. Vous direz à Moï... que je l'ai attendu.

— Nous lui dirons.

Nephtaïm étala sur la pierre à histoires la solide peau qu'il mettait toujours sur sa cuisse pour tailler le silex, puis il leva la main en signe d'adieu et tourna le dos. Ses sept petits-fils lui emboîtèrent le pas sans un mot.

Nephtaïm regarda le ciel si bleu. C'était une belle journée, froide et belle. Tout le monde s'en souviendrait. Tout le monde se souviendrait de l'avoir vu s'éloigner dans le bleu du ciel.

Ses petits-fils garderaient la mémoire de tout, il le fallait. D'abord parce qu'ils devraient eux aussi faire un jour le voyage, quand leur temps serait venu, et ensuite parce qu'ils auraient bientôt à guider le clan vers l'endroit qu'il aurait choisi. Il aimerait une herbe douce, semée de quelques cailloux aux angles vifs, qui arrêtent le regard et le renouvelle. Il aimerait un nid de fourmis, pas trop proche ni trop lointain.

Quand le temps aurait passé et que ses petits-fils mèneraient le clan sur ses traces, ils retrouveraient son corps bien propre, ses ossements nettoyés de toute chair. Ils les enduiraient d'ocre rouge, rouge comme la vie qui s'en allait, et il trouverait le repos éternel.

20/ De ce côté-ci du ciel

Ils chassaient dans la grande steppe, c'était probable. Seulement la grande steppe était vaste. Comment les trouver ?

Reuben interrogea le ciel et l'eau, huma l'air et le vent. Tout semblait terne et sans relief. Au loin, jusqu'à l'horizon, on ne voyait qu'herbes mortes. Mais le regard n'était souvent que tromperie destinée à abuser l'esprit. Reuben ferma les yeux. Il apercevait des herbes mortes, des herbes et des buissons, un rocher tourmenté, de l'eau, beaucoup d'eau... Le lac !

— Ils sont près du lac ! s'exclama-t-il.

C'est l'odeur qui les guida. Dans la steppe de la plaine basse, il n'y avait pas d'arbre, on n'avait donc que les os pour entretenir le feu, et l'odeur de l'os brûlé ne pouvait se confondre avec rien d'autre.

– Moï et Reuben ! cria un enfant. Moï et Reuben reviennent !

Les femmes qui surveillaient la cuisson du repas tournèrent la tête. C'était eux !

– Ils ont maigri.

– Ils ont changé.

Ils avaient changé. C'étaient bien eux et, en même temps, ils étaient différents. C'étaient eux et ce n'étaient pas eux. Ils avaient mûri. Une ride barrait leur front.

Debout devant sa tente, Cob planta violemment sa lance en terre. Son frère était vivant. Il en était à la fois heureux et consterné. Il leva les yeux sur Delphéa et vit qu'elle serrait dans sa main le collier de pierres noires que lui avait offert Moï.

Les autres s'approchaient en retenant leur pas, ne sachant encore s'il fallait montrer de la gaieté ou de la consternation. Le temps du retour était passé depuis longtemps. Vivants ou morts, ils avaient échoué.

Cob les suivit des yeux tandis que, sans un mot, ils se dirigeaient vers Bogdan. Puis il tourna de nouveau la tête vers Delphéa, et ce qu'il lut dans son regard le frappa douloureusement au cœur.

– Je n'ai pas trouvé le Coquillage sacré, dit Moï à cet instant. Je reconnais devant tous que je ne suis pas digne d'être le chef de ce clan.

Il regardait droit devant lui, sans voir personne. Il ne voulait discerner aucun visage. Le cercle qui les entourait ne s'approchait pas. Moï baissa un instant les yeux, puis les releva. Nulle moquerie, nulle condamnation, seulement la stupeur. Pourquoi aucun cri de blâme ? Pourquoi est-ce que personne ne brandissait la dent d'hyène ? Elle était prête, pourtant, il le savait.

Le clan entier semblait frappé d'inertie, peut-être à cause de l'expression du visage de Moï, qui ne reflétait aucune honte mais, plutôt, une assurance tranquille et inébranlable qui impressionnait.

– Où est Nephtaïm ? demanda subitement Moï. Je veux voir Nephtaïm.

Bogdan eut un geste désolé :

– Nephtaïm est parti.

– Nephtaïm est parti ?

Avec gravité, les têtes confirmèrent la nouvelle. Accabler Moï de n'avoir pas trouvé la Cyprée, alors qu'on lui apprenait dans le même temps le départ de l'être qu'il chérissait le plus ? L'incerti-tude se lisait dans les yeux. Moï paraissait beaucoup plus affecté par la disparition de son aïeul que par l'ab-sence, sur sa poitrine, du Coquillage sacré. Il est diffi-cile de conspuer quelqu'un qui ne se sent pas vaincu.

– Où est-il ? s'affola Moï. Il faut aller le chercher !

Les visages restèrent de marbre.

– Quels sont ceux de ses petits-fils qui l'ont accompagné ?

– Nous tous, dit Cob en s'approchant enfin.

Il regardait son frère avec une sorte de stupéfac-tion, comme s'il avait devant lui un inconnu, une sorte d'homme sur qui aurait soufflé le dieu.

– Alors, montrez-moi, ordonna rapidement Moï. Quand est-il parti ? Combien de temps ?

– Quatre jours.

– Quatre jours... Il est peut-être encore temps.

– Moï, s'écria Bogdan, tu deviens fou !

Mais Moï n'écoutait pas. Il saisit son frère par le bras.

– Montre-moi, Cob. Accompagne-moi là où tu l'as laissé.

– Enfin, Moï, c'est impossible...

– Accompagne-moi, Cob, accompagne-moi !

Tout le monde restait suffoqué. On comprenait la douleur de Moï, mais ce qu'il demandait était

inconcevable. La voix ferme de Bogdan s'éleva :

— Je te rappelle, Moï, que c'est la
loi du clan. Nul ne peut s'élever
contre la loi. Lorsqu'un homme, lorsqu'une femme,
voit que ses jambes lui font défaut et qu'il ne pourra
plus suivre le clan dans sa marche, il doit s'écarter.
Sinon, il met en péril le clan tout entier. La loi est
dure, mais c'est la loi.

La loi. Un moment, Moï demeura figé.

— Marcher, lâcha-t-il enfin. Pourquoi marcher
toujours ?

— Pour survivre, Moï ! cria Bogdan. Faut-il que je
te le dise ? Le clan doit suivre le gibier, chercher le
fruit et le grain. Pour survivre !

— Le grain, il faut le semer, père. Le semer et le
regarder pousser, planter des arbres pour récolter
leurs fruits.

Un silence ahuri se posa sur le camp.

— Ton fils est fou, dit enfin Smaël avec lenteur.

Moï se redressa. Ses yeux lançaient des éclairs.

— Il faut élever des chèvres et des moutons, les garder dans un enclos. Les chèvres ne mangent pas la
même chose que nous, elles ne nous font aucun tort !

Bogdan se dressa en face de lui :

— Tu manges la chèvre, et ensuite, tu n'as plus de
chèvre !

– Tu ne tues pas la chèvre, tu prends le lait, et ensuite, tu as les chevreaux... Je t'en prie, père, laisse Cob me mener à Nephtaïm avant qu'il ne soit trop tard.

Le visage de Bogdan se durcit, son poing se serra.

– Nous ne le ferons pas, Moï. Jamais. Quelle que soit notre peine.

Les yeux de Moï n'étaient plus que colère et désespoir. Alors Delphéa s'approcha et glissa sa main dans la sienne.

– Moï, dit-elle d'une voix apaisante, tout le monde ici aimait Nephtaïm et, parce que nous l'aimions, il ne faut pas troubler sa paix. Nephtaïm est parti, il est parti non seulement dans son corps mais dans son cœur. Il est loin, il s'est résigné, il attend la mort. Si aujourd'hui tu l'empêchais de mourir, tu briserais quelque chose en lui. Ce qui est fait est fait, Moï.

Moï regarda longuement la jeune fille et il eut soudain envie de se blottir contre elle et de pleurer. Il n'en fit rien. Il serra doucement sa main puis, la gorge serrée, il leva les yeux vers le ciel et chercha le soleil. Mais le soleil s'était caché.

Chacun, cette nuit-là, essaya vainement de comprendre ce qui s'était passé. On n'avait pas sorti la dent d'hyène, on n'avait ni condamné ni raillé, ni

même désespéré. On avait écouté
avec un pincement au cœur, et on ne
se regardait plus de la même façon.
C'était comme si le monde venait de
changer.

Moï dormit dehors, ne se reconnaissant plus dans
aucune tente, ni aucune famille. Il avait serré la
main de Delphéa au lieu de l'éloigner comme il
aurait dû le faire. Sa tête bourdonnait, ses yeux se
rouvraient sans qu'il le veuille.

– Moï…

Le chuchotement était à peine audible. Moï
détailla la petite silhouette : c'était Dol, son plus
jeune cousin.

– Moi aussi, souffla l'enfant, je l'aimais bien,
Nephtaïm.

Moï hocha la tête avec tristesse. Les premières
lueurs de l'aube tremblotaient.

– Moi aussi, reprit l'enfant, je veux Nephtaïm.

Le regard de Moï s'éclaira :

– Tu sais où il est ?

– Je le sais, répondit l'enfant d'un air étonné. Moi
aussi, je suis le petit-fils de Nephtaïm.

– C'est vrai… C'est vrai. Tu veux me mener ?

L'enfant saisit la main de Moï et ils s'enfoncèrent
dans la brume.

– Viens, petit, dit Moï, viens.

– Je veux qu'on l'emmène avec nous.

– C'est trop tard.

– Pourquoi c'est trop tard ?

– Il est mort, petit.

– Pourquoi Nephtaïm est mort ?

– Parce qu'il est resté cinq jours sans manger ni boire. Parce que son temps était venu.

– Pourquoi tu dis comme les autres ? bredouilla l'enfant en luttant contre les larmes.

Moï ne put répondre. Le chagrin lui nouait la gorge. Il regarda au loin la bouche du dieu, qui avait pris une forme nouvelle pour marquer le commencement de ce vingt-quatrième temps.

– Viens, il faut partir. Mais, maintenant, tout va changer.

Il souleva l'enfant et le hissa sur ses épaules.

– Tu vois, dit-il, le soleil se lève à l'est, puis il va parcourir le ciel sans monter au-dessus de nous. Aux temps froids, il ne monte pas. Alors il a moins de chemin à parcourir et il se couche tôt. Il se couchera de l'autre côté, dans la mer. Les ombres sont longues, longues comme les nuits. Les jours sont courts, rien ne pousse. C'est la saison froide. Tu vois la vallée ? C'est là que nous nous établirons. Je brûlerai les buissons et je sèmerai le grain, et je ferai une tente si solide qu'elle résistera aux temps chauds et aux temps froids.

– Et comme ça, on restera toujours près de Nephtaïm.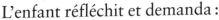

– Toujours.

L'enfant réfléchit et demanda :

– Tu crois que les autres voudront ?

– Je ne sais pas, dit Moï.

– Moi, je veux rester avec toi.

– Cob ne restera pas, prévint Moï. Cob s'en ira et d'autres partiront avec lui.

– Tu crois ?

– Je le crois. Certains ne pourront accepter l'idée de se fixer.

– Pourquoi ?

– Parce que ce n'est pas l'habitude. Parce qu'aucun clan, jamais, n'est resté immobile. Parce que la vie sera plus dure.

– Pourquoi elle sera plus dure ?

– Parce que tout ce que nous mangerons sera le fruit de notre travail. Pour l'instant, la nature sème pour nous, élève et nourrit les animaux. En contrepartie, il nous faut un territoire immense pour vivre. Ici, notre territoire sera limité, donc il faudra remplacer la nature.

– Je travaillerai, déclara l'enfant avec sérieux.

Il regarda au loin et conclut :

– Si on n'est que deux, on trouvera facilement à manger.

Moï sourit :

– Je crois que nous ne serons pas que deux. La peine est trop grande de laisser derrière soi les anciens. Ne crois pas qu'il n'y ait que toi et moi à pleurer. Tous ont du chagrin, mais aucun ne sait comment le résoudre.

– Et toi, tu le sais ?

– Je le sais. Il ne faut pas seulement voir, mais regarder, petit. Il ne faut pas seulement regarder, mais voir.

– Qu'est-ce que ça veut dire ?

– Ça veut dire que le soleil brille sur nos têtes, et que le grain le sait.

L'enfant appuya sa joue sur les cheveux de Moï et dit :

– Moi aussi... je le sais...

Et sa tête se fit lourde. Moï comprit qu'il s'était endormi.

Épilogue

La terre s'était réchauffée, les feuilles étaient venues aux arbres, puis elles avaient jauni et s'étaient détachées pour glisser doucement vers le sol.

Alors Moï s'était levé, il avait refermé l'enclos des chèvres et regardé un moment les enfants jeter les galets tachetés. Puis il avait fait un signe à Delphéa qui tressait une faisselle sur le pas de la porte et s'en était allé. Le chien l'accompagnait, de son pas lent et entêté, car rien, jamais, ne pouvait l'empêcher de suivre Moï où qu'il aille.

De chaque cabane, des yeux les regardaient s'éloigner. Reuben entoura de son bras les épaules d'Alla. Personne ne dit un mot. Il fallait le laisser aller seul.

🌿 🌿 🌿

Moï demeura un moment immobile, les doigts croisés. Puis il salua le volcan au loin, le soleil à l'ouest, et se mit à genoux.

Lentement, il creusa le trou.

Il creusa le trou et le tapissa de pierres rouges, puis il ramassa chaque os avec respect, avec respect l'enduisit d'ocre pour le déposer dans la tombe en lui conservant scrupuleusement la position dans laquelle il l'avait trouvé.

Enfin, il rattacha autour du cou le collier de perles et de canines de cerf, et ramena sur la poitrine le Coquillage sacré, pour que le dieu se souvienne que là dormait un ancien chef de clan. Alors il glissa la main dans sa ceinture.

Elle était toujours là... Depuis si longtemps, elle était toujours là. Avec précaution, il sortit la Cyprée.

Il la tourna longuement entre ses doigts, caressant la douceur de sa nacre, puis il la glissa sous la main de son grand-père et murmura :

– Personne ne sait que je l'ai, Nephtaïm. Je te le dis à toi. Ne crois pas que je l'ai trouvée, les fils de l'écume me l'ont donnée. Je te la donne à mon tour, pour que tu gardes à jamais le souvenir de notre clan. Car tu es le dernier, Nephtaïm, le dernier à mourir loin du clan. Mais nous ne te quitterons pas, nous ne te quitterons plus. Le grain poussera dans la plaine, et les noisetiers envahiront la vallée, et les vignes monteront sur les flancs de l'ancienne parole du dieu, et les chèvres viendront s'allonger sur ta tombe. Dors, et veille sur nous comme nous veillons sur toi.

Puis il regarda vers l'horizon et, pour la première fois depuis si longtemps, il pensa à l'étranger.

Avait-il réussi à passer de l'autre côté du ciel ?

Chant du feu

Au commencement du monde, l'homme naquit
    de la lave du volcan,
Et le feu sauva l'homme.

Éternel soit le feu qui éclaire notre nuit et chasse
    les démons,
Éternel soit le feu.
Éternel soit le feu qui cuit le grain et sèche notre abri.
Éternel soit le feu.
Éternel soit le feu qui réchauffe le corps et l'âme.
Éternel soit le feu.
Le dieu a donné le feu à l'homme pour qu'à tout
    jamais il se distingue de l'animal.
Le feu est un don du dieu.

Chant du silex

A la fin des premiers temps, le dieu s'endormit,
Et le silex sauva l'homme.

Silex pèse
Silex tape
Silex frappe
Silex râpe
Silex pèse, tape, frappe, râpe.

Silex perce
Silex coupe
Silex tranche
Silex creuse
Silex perce, coupe, tranche, creuse.

Silex brun
Silex rouge
Silex bleu
Silex jaune
Silex noir ou gris
Silex blanc ou gris.

Tu es le fruit de la terre
Tu es la griffe et la dent.

Chant de l'aiguille

A la fin des seconds temps, le dieu s'éveilla,
Et l'aiguille sauva l'homme.

        Passe et repasse,
        L'aiguille.
        File et couds et noue,
        L'aiguille.
        Perce et se faufile,
        Arrête froid et vent,
        Garde le grain et l'eau.

        Et lie la peau à la peau
        Pour devenir peau sur la peau
        Et libérer l'homme.

        Lie la peau à la peau
        Pour devenir abri
        Et protéger l'homme.

        Lie la peau à la peau
        Pour conserver l'eau
        Et abreuver l'homme.

        Lie la peau à la peau
        Pour porter la vie
        Et sauver l'homme.

TABLE DES MATIÈRES

Évelyne Brisou-Pellen

Où êtes-vous née ?
E. B.-P. : Par le plus grand des hasards,
je suis née au camp militaire de Coëtquidan.
Ensuite, j'ai vécu au Maroc, puis à Rennes,
puis à Vannes.

Où vivez-vous aujourd'hui ?
E. B.-P. : Je suis revenue à Rennes faire
mes études à l'université, je m'y suis mariée
et j'y suis restée.

Écrivez-vous chaque jour ?
E. B.-P. : Non. Il y a de longues périodes
de documentation, et pendant lesquelles
je n'écris pas. En revanche, à partir
du moment où j'ai commencé un roman,
je m'y attelle chaque jour, de manière
à bien rester dans l'ambiance.

Êtes-vous un auteur à temps complet ?
E. B.-P. : Oui. Mais le travail d'écrivain
que je croyais être de solitude et de silence
s'est révélé plus complexe. Souvent,
je vais rencontrer mes lecteurs et répondre
à leurs questions.

Les illustrateurs

Henri Galeron, qui a illustré la couverture de ce volume, est né en 1939 à Saint-Étienne-du-Grès, en Provence. Il a pratiqué l'école buissonnière pour préparer le concours d'entrée aux Beaux-Arts de Marseille, dont il a obtenu le diplôme national en 1961. Il a été directeur artistique des Jeux Nathan de 1972 à 1974, avant de devenir illustrateur indépendant. Il a reçu en 1985 le prix Honoré.

Michel Politzer est né en 1933 à Biarritz. A dix-huit ans, il est parti à Paris suivre les cours de l'École des Beaux-Arts, puis il a travaillé comme maquettiste et illustrateur dans la presse. Il a depuis quitté Paris pour s'installer dans un petit village de Bretagne. En compagnie de sa femme, il a publié de nombreux livres illustrés, comme la série des *Carnets de croquis de Robin des Bois* ou *L'Aventure au coin de l'histoire* (Casterman). Peintre et sculpteur, il a organisé des expositions de ses œuvres en France, Belgique, Allemagne, ex-Yougoslavie, au Canada... Il a souvent collaboré avec les éditions Gallimard Jeunesse, en illustrant notamment *Les Lettres de mon moulin, Les pommes Chatouillard du chef* et *Amazonas*.

Du même auteur

Albums

C'EST TA FAUTE, *Milan album*
LA PORTE DE NULLE PART, *Bayard / Trésor des belles histoires*

Pour les moins de 10 ans

UN ROI BEAUCOUP TROP GOURMAND, *Bayard Poche*
QU'EST-CE QUE TU AS, LA MOUCHE ?, *Nathan / Demi-lune*
LE JONGLEUR LE PLUS MALADROIT, *Nathan / Demi-lune*
LE TRÉSOR DES DEUX CHOUETTES , *Rageot / Cascade*
LA PLUS GROSSE BÊTISE, *Rageot / Cascade*
LE ROI DE TROUILLE-LES-PÉTOCHES, *Rageot / Cascade*
LES TROIS SOUHAITS DE QUENTIN, *Rageot / Cascade*
COMMENT VIVRE SEPT VIES SANS..., *Rageot / Cascade*
LE CHEVALIER QUI NE SAVAIT PAS LIRE, *Rageot / Cascade*
LE CHAT DE L'EMPEREUR DE CHINE, *Milan Poche*
MON EXTRATERRESTRE PRÉFÉRÉ, *Rageot / Cascade*
LA VRAIE PRINCESSE AURORE, *Rageot / Cascade*
LE MONSTRE DU CM1, *Casterman*
LE VRAI PRINCE THIBAULT, *Rageot / Cascade*
UN TRÉSOR A L'ORPHELINAT, *Rageot / Cascade*
LE PHILTRE D'AMOUR, *Nathan / Demi-lune*
LE GRAND AMOUR DU BIBLIOTHÉCAIRE, *Casterman*

Pour les plus de 10 ans

LE SIGNE DE L'AIGLE, *J'ai Lu*
L'ANNÉE DU DEUXIÈME FANTÔME, *Hachette*

Imprimé en Italie
par LegoPrint.

P.A.O. Belle Page

Dépôt légal : octobre 2002
N° d'édition : 12508
ISBN 2-07-053729-3
Loi n° 49-956 du 16 juillet 1949
sur les publications destinées
à la jeunesse

√3